AUTOBIOGRAPHIE
D'UN ÉPOUVANTAIL

BORIS CYRULNIK

AUTOBIOGRAPHIE D'UN ÉPOUVANTAIL

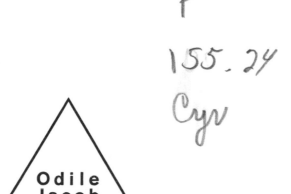

Odile
Jacob

© Odile Jacob, 2008
15, RUE SOUFFLOT, 75005 PARIS

ISBN : 978-2-7381-2165-3

www.odilejacob.fr

INTRODUCTION

LES CHASSEURS D'OMBRES

Le regard de la photo

Quand les chasseurs d'ombres sont arrivés à Kouloumia, personne ne soupçonnait à quel point ils allaient transformer l'existence des villageois. « Une ombre, disaient-ils, ce n'est pas la vraie vie, ce qui compte, c'est l'homme et le soleil qui l'éclaire. »

J'étais enfant après la Seconde Guerre mondiale et, pourtant, j'avais clairement compris que lorsqu'on a peur de son ombre on peut la fuir en se taisant, mais on peut aussi la cacher en mettant en lumière la partie du monde que les autres acceptent de regarder.

Pierrot parlait tout le temps de son père. Chaque jour à l'école, il racontait la vie de son héros et parfois même interrompait une partie de billes pour ajouter un détail. Le village de Bastidon, en Provence, saignait encore du courage des quarante résistants massacrés en juin 1944 par l'armée allemande. La mère de Pierrot disait que son mari avait été tué à la fin de la guerre et l'enfant, gonflé de fierté, était heureux d'avoir un tel papa. J'ai bien dit « avoir un tel papa » et non pas « avoir eu un tel papa », car son père était vivant dans les récits qu'on en faisait quand on racontait le recrutement des résistants dans le haut Var. On riait du hasard qui avait enrôlé l'un d'eux, on admirait la décision d'un autre qui dès le début de la guerre avait décidé de s'engager. On tournait des films, on commentait des livres, et tous ces hommes étaient beaux et la campagne éblouissante et les Français courageux, et son père fusillé participait de cette gloire. Pierrot était heureux. Il s'épanouissait gaiement auprès de sa gentille mère et gavait ses copains d'école de belles histoires terribles qu'il recueillait sur le maquis de Bastidon.

Quand les chasseurs d'ombres sont arrivés, cinquante ans plus tard, ils ont fouillé les archives des mairies, des hôpitaux et des commissariats, ce qui leur a permis d'annoncer qu'en effet le père de Pierrot avait été fusillé... à la Libération, pour avoir collaboré avec l'armée d'occupation et joué un rôle important dans l'arrestation de nombreux résistants.

À la fin de la phrase Pierrot s'est éteint. Son âme est morte, assassinée par une sentence.

Il n'a rien reproché à sa mère qui n'avait pas totalement menti. Elle avait simplement arrangé les mots afin de ne pas blesser l'enfant : « Ton père a été tué à la fin de la guerre... » Elle avait mis dans le couloir d'entrée la photo encadrée de son mari, un homme que Pierrot n'avait pas vu vieillir. L'enfant avait aimé un monstre et cet amour l'avait renforcé ! En fait, il n'avait jamais aimé un monstre, il avait admiré l'image d'un papa courageux dont la terre entière racontait l'histoire : le maquis de Bastidon! Personne n'avait désenchanté l'enfant avant que les chasseurs d'ombres ne mettent en lumière une archive assassine.

Pierrot ne faisait aucune critique à son père, ni à sa mère, ni aux villageois qui s'étaient tus. Simplement il ne pouvait plus parler, ni entendre la moindre allusion au maquis. Il avait envisagé d'enlever cette photo que pendant cinquante ans il avait regardée avec bonheur, chaque jour, en passant devant elle. Il y avait renoncé parce que, après tout, cette image lui avait permis de s'identifier à un homme admirable. Ce père qui avait vécu en lui l'avait beaucoup aidé. Pierrot n'avait jamais aimé un monstre, il avait vénéré l'image d'un père courageux, glorifié par les récits d'après guerre.

Finalement, il a laissé la photo dans son cadre, mais depuis la révélation, chaque fois qu'il passait dans le couloir, une force intérieure le contraignait à détourner la tête pour ne plus rencontrer le regard de son père. Une archive en modifiant le récit avait bouleversé sa représentation du monde. Dès la fin de l'annonce, Pierrot était passé de la fierté à la honte, de la joie à la tristesse, et ces nouveaux sentiments modifiaient tellement l'idée qu'il se faisait de lui-même que ses amis ne le reconnaissaient plus : « Il a changé. Il n'a plus les mêmes comportements. Il se tait, évite nos regards et ne s'intéresse plus à la Résistance. »

Toutes les histoires de vie sont folles. Avec une seule existence vous pourriez faire cent récits et ne jamais mentir. Il suffit d'ajouter un témoignage, un papier administratif, un énoncé déroutant.

La phrase qui tue. L'archive qui guérit

Émilie est née en 1944 à la maternité de Denfert-Rochereau, à Paris. Abandonnée à la naissance, comme cela se faisait beaucoup sous le gouvernement de Vichy où 10 % des naissances à la campagne et 50 % à Paris, dans le quartier de Montparnasse, étaient illégitimes[1], elle fut confiée à une famille d'accueil qui subsistait en gardant quelques enfants de l'Assistance. La mère d'accueil, fragile, calmait son anxiété en se croyant malade, ce qui lui permettait d'attribuer une cause à son mal-être et de se faire entourer de soins qui la sécurisaient. Émilie n'avait pas dix ans que déjà elle s'occupait de la maison et soignait sa mère. L'enfant adorait son père d'accueil qui travaillait aux champs et gouvernait affectueusement son petit monde. Tout allait pour le mieux. Un jour où ils pêchaient côte à côte, la petite fille demanda qui étaient ses parents. L'homme répondit gentiment : « Ta mère était une pute. Elle t'a abandonnée pour partir avec un boche. »

Tout redevint silencieux dans la barque qui dérivait. Plus tard, à la maison, personne ne soupçonna que derrière le visage souriant et l'apparente maturité de la petite fille une grande souffrance venait de s'installer.

Cinquante ans plus tard, approchant de la retraite, Émilie décida de partir à la recherche de ses origines. La première surprise fut de constater qu'il lui suffisait d'écrire à une mairie, de rencontrer une personne qui

---

1. Virgili F., « Enfants de boches : The war children of France », *in* K. Ericsson et E. Simonsen (éds.), *Children of World War II*, New York, Berg, 2005, p. 144. Et *Atlas stastitique de la Ville de Paris*, 1946.

avait connu la guerre ou d'enquêter auprès des voisins pour transformer sa souffrance en plaisir d'explorer. Elle voyagea, vécut des événements agréables et d'autres déconcertants, rencontra des gens passionnants et d'autres inquiétants, et ne manqua plus un seul livre, un seul film documentaire ou de fiction qui évoquait la Seconde Guerre mondiale.

Par ce travail de mémoire, elle ne faisait pas revenir la souffrance passée. Bien au contraire, en découvrant son histoire cachée, elle mettait en lumière des faits qu'elle pouvait enfin maîtriser : « En recevant le courrier des mairies, en retrouvant des articles de journaux de l'époque, en rangeant dans mes classeurs les lettres et les photos de gens que je rencontre, j'ai l'impression de prendre en main mon histoire et de combler l'abîme de mes origines. » Ce travail de fourmi effectuait un remaniement de la représentation de soi puisqu'il remplissait le gouffre des racines avec des classeurs et des archives.

Jusqu'au jour où, grâce à un employé de mairie, Émilie rendit visite à une dame âgée qui avait connu ses parents et possédait une photo. Pour la première fois de sa vie, l'enfant de soixante ans pouvait enfin voir le visage de ses parents. Ils étaient beaux et jeunes avec leurs amusants vêtements de l'époque, le minuscule chapeau bibi de sa mère et les chaussures à deux couleurs de son père. Émilie en tomba aussitôt amoureuse. Dès lors son enquête fut facile : elle retrouva sans peine le régiment de son père et, comme les Allemands adoraient la musique, la littérature et la photographie, Émilie en quelques mois se constitua un trésor de vieilles photos dont elle fit un album. La honte qui toute sa vie avait assombri son âme laissait place à la fierté d'avoir des parents beaux, jeunes et cultivés. Sa mère n'était plus une pute et son père cessait d'être un boche. Une femme française simplement avait aimé un jeune Allemand enrôlé pour la guerre. Émilie découvrait qu'elle était née d'un amour et cette nouvelle représentation de ses origines changeait le sentiment qu'elle éprouvait pour elle-même.

D'un seul mot, d'une seule photo, elle était passée de la honte à la fierté. Dès qu'elle eut découvert la filière, elle engrangea les documents, les lettres, les articles et les photos de journaux où l'on pouvait voir le régiment de son père. Elle montrait son album à qui voulait le voir. Sa meilleure amie qui, depuis son enfance, côtoyait sa tristesse partageait avec plaisir son joyeux épanouissement. Mais elle se taisait quand Émilie commentait fièrement les photos de son père en uniforme de la Wehrmacht. Son amie était juive et cet équipement militaire prenait pour elle une signification angoissante. Son histoire attribuait au même uniforme la marque d'un crime, alors qu'Émilie y trouvait un jalon d'identité, une appartenance à une belle culture. Elle devenait allemande et non plus fille de boche.

Dans les années d'après guerre, Émilie n'avait pas pu enquêter sur ses origines, le contexte culturel ne lui avait pas permis d'en faire une belle histoire. Il condamnait l'enfant en la nommant « fille de boche » et son père d'accueil, en une seule phrase, avait mortifié son âme.

Pierrot était passé de la fierté à la honte alors qu'Émilie avait fait le chemin inverse parce que les récits d'alentour, ceux de leur famille et de leur culture, avaient induit dans l'âme de chaque enfant une représentation de soi bouleversée par les mythes sociaux. Il est donc possible de modifier le sentiment intime d'une personne en agissant sur les récits qui l'entourent, sur ce qui est dit autant que sur la manière de le dire. La rhétorique, en donnant une forme verbale et gestuelle aux événements qu'elle raconte, structure l'intimité des individus. Peut-être certaines sociétés facilitent-elles la résilience en aidant le blessé à reprendre un nouveau développement, alors que d'autres l'en empêchent en racontant différemment la même tragédie?

La pudeur et la souffrance

Les troubles psychotraumatiques sont à peu près les mêmes, quelle que soit la culture. Un blessé devient anxieux, irritable, il revoit les images d'horreur, le moindre événement rappelle le trauma et fait revenir la souffrance. Pourtant chaque culture, dans l'après-coup, donne des possibilités d'expression de la blessure qui permettent un remaniement résilient, ou qui l'empêchent[2].

Dans la culture rwandaise, il est indécent de se plaindre ou de pleurer. Les traumatisés se composent une face digne, apparemment indifférente, afin de masquer leur souffrance. Mais, le soir à la veillée, ils peuvent dire ce qui s'est passé et raconter comment ils ont réagi, car ils sont assurés que personne ne jugera leur récit d'horreur. Quand un blessé a du mal à s'exprimer ou simplement à dire « Voilà ce qui m'est arrivé », il peut en faire un conte que tout le monde écoute avec respect.

---

2. Marsella A. J., Friedman M. J., Gerrity E. T., Scurfield R. M. (éds.), *Ethnocultural Aspects of Posttraumatic Stress Disorder*, Washington, DC, American Psychological Association, 1996.

Un observateur occidental assistant à ce théâtre du traumatisme verrait une étonnante indifférence dans l'Acte I de la journée, et il éprouverait l'Acte II de la veillée comme un exhibitionnisme choquant. Seul un entretien intime lui permettrait de découvrir que le blessé masque sa souffrance le jour, et l'exprime sous forme de conte le soir à la veillée. Par cette rhétorique pudique, il ne sera jamais chassé ni stigmatisé, au contraire même il sera accepté avec sa blessure.

La souffrance est probablement la même chez tout être humain traumatisé, mais l'expression de son tourment, le remaniement émotionnel de ce qui l'a fracassé, dépend des tuteurs de résilience que la culture dispose autour du blessé. L'invitation à la parole ou la contrainte au silence, le soutien affectif ou le mépris, l'aide sociale ou l'abandon chargent une même blessure d'une signification différente selon la manière dont les cultures structurent leurs récits[3], faisant ainsi passer un même événement de la honte à la fierté, de l'ombre à la lumière.

Pierrot s'est tu quand la trahison de son père est devenue publique. Émilie s'est étonnée que tant de souffrances passées aient pu se transformer en tant de plaisir à découvrir son histoire et à la raconter.

Il arrive que les circonstances sociales de l'après-traumatisme brisent les tuteurs de résilience. Mugabo le petit Tutsi était bon élève et délégué de classe car il savait rendre les relations agréables. Il lui fut impossible de deviner la tragédie qui l'attendait quand il a vu surgir dans son école les voisins de ses parents, le pharmacien et le gara-

---

3. Summerfield D., « A critic of seven assumptions behind psychological trauma programmes in war-affected areas », *Social Science and Medicine*, 1999, 48, p. 1449-1462.

giste, armés de couteaux et de gourdins. Il n'éprouva aucun sentiment de danger quand il vit que ses copines de classe le désignaient aux agresseurs. Il fut grièvement blessé mais, par chance, un coup de matraque lui donna l'apparence de la mort. Il reprit connaissance, après plusieurs jours de coma, dans une église jonchée de cadavres en décomposition.

Les adultes qui l'ont retrouvé l'ont pansé, l'ont entouré et l'enfant a senti dans leur regard une compassion sécurisante. Pourtant, le processus de résilience ne s'est pas déclenché parce que la culture, détruite par le génocide, avait perdu ses lieux de parole. Dans la journée il n'y avait rien à faire, et le soir rien à dire car les veillées n'existaient plus. L'enfant demeurait prisonnier des images d'horreur gravées dans sa mémoire, rien ne lui permettait de remanier la représentation du trauma. Quelques mois plus tard, Mugabo a commencé à souffrir d'hallucinations visuelles et d'importants troubles psychotraumatiques.

Akayesu, lui, a été contraint au silence par les circonstances dans lesquelles il a traversé le génocide. Les lieux de parole étaient rétablis et pourtant l'enfant n'a pas pu y parler. Le scénario de l'horreur avait planté dans sa mémoire une représentation terrifiante impossible à négocier. Son père était hutu et sa mère tutsie. Quand le génocide a explosé, sa tante a couru se réfugier chez sa sœur qui l'a cachée dans la grange. Chaque jour Akayesu lui portait à manger, mais un soir en arrivant, il a surpris son père tirant cette femme par les cheveux et la tuant à coups de hache. C'est le silence de la mise à mort qui a terrifié l'enfant. Sa tante se protégeait des coups tandis que son père frappait. Pas un mot, pas un cri entre ces deux personnes qui se connaissaient bien. Rien. Pas un bruit. Pas un mot non plus quand le père est rentré à la maison, vêtu de propre.

À la fin du génocide, le couple des parents d'Akayesu est devenu le symbole de la réconciliation nationale. Le père hutu ayant épousé une Tutsie fut élu juge d'un tribunal « Gacaca ». On disait dans le village que la sagesse de cet homme ramènerait la paix. Seul Akayesu savait mais ne pouvait rien dire. En parlant, il aurait tué son père et détruit sa famille. En se taisant, il se faisait complice du crime[4]. L'enfant est devenu muet. Mais chaque soir quand il s'endormait et que sa vigilance engourdie l'éloignait du réel, les fantômes de la nuit réveillaient les drames enfouis et le film muet de la scène terrifiante rejaillissait dans sa conscience. Il aurait suffi qu'Akayesu ouvre la bouche et raconte l'histoire mais, pour ne pas être responsable de l'explosion familiale, il se taisait et s'appliquait à engourdir son monde intime : « Quand on me parle de la sagesse de mon père, président du tribunal Gacaca, je m'arrange pour ne rien penser, ne rien ressentir. » Le silence protégeait tout le monde en amputant la personnalité de l'enfant.

L'âme de Pierrot s'est éteinte en lisant une archive. Émilie blessée par la phrase du père qu'elle aimait a pu remanier le sentiment douloureux qui l'habitait en écrivant l'histoire de ses origines. Mugabo, survivant dans une culture détruite, n'a pas trouvé de lieu de parole, malgré le soutien des adultes. Akayesu, ligoté par les circonstances de la tragédie, en se taisant s'est soumis à la souffrance. Quand ils ne pouvaient pas échapper à leur tragédie, tous

---

4. Ionescu S., Rutembesa E., Ntete J., « Effets post-traumatiques du génocide rwandais », in S. Ionescu, C. Jourdan-Ionescu, *Psychopathologies et société. Traumatismes, événements et situations de vie*, Paris, Vuibert, 2006, p. 99.

ces enfants ont imaginé qu'ils étaient devenus des épouvantails : « Vous, vous êtes un être humain puisque vous avez une vraie famille et des lieux pour parler. Mais moi, si je raconte ce qui est arrivé, je vais vous effrayer, vous allez me fuir. Vous croyez que je suis un Homme, mais moi je sais bien que je n'en ai que l'apparence. » Dans tous ces cas, c'est un récit, une seule phrase parfois qui a torturé, démoli ou au contraire redonné vie au monde intime de ces blessés.

Qu'elles nous tourmentent ou nous apaisent, pourrait-on vivre sans histoires ?

C'est l'histoire qui ouvre les yeux

J'ai mis longtemps à découvrir qu'il avait peur de son histoire. Je ne savais pas pourquoi mon compagnon de marche me paraissait étrange alors qu'il était plutôt poli, habillé correctement, souriant, et tout et tout. Quand je lui disais « bonjour » il me répondait aimablement et puis... rien ! Voilà, c'est ça ! « Rien », c'est le mot qui le caractérisait. C'est difficile d'établir une relation avec rien. Il aurait suffi de raconter une petite histoire pour combler le vide entre nous et organiser une manière de vivre ensemble.

Vendredi dernier nous avons été nous promener sur le chemin de l'Evescat, une des collines qui entourent La Seyne. Comme nous n'avions rien à dire, nous nous sommes contentés de mettre un pied devant l'autre, ce qui a bien marché. Puis nous sommes rentrés. Nous avions simplement vu une route qui serpentait entre des villas de banlieue.

Dimanche dernier, j'ai refait le même chemin avec une amie, une femme marin bonapartiste comme il en existe à Toulon. Elle m'a entraîné vers l'endroit probable de la batterie des « Chasse-Coquins » située sur la colline Blanc, un peu en dessous de la colline Donnart où Bonaparte avait installé la batterie des « Hommes-sans-Peur ». Devant un grillage rouillé, soutenu par des piliers en ciment, elle m'a expliqué que les républicains ne pouvaient pas mettre leurs canons au sommet de la colline car les Anglais les auraient vite repérés. C'est pourquoi ils s'étaient installés en contrebas dans cet endroit d'où l'on ne voyait même pas la mer. Il avait suffi de quelques mots pour que le grillage rouillé et les piliers de ciment se transforment en poste d'observation. Là, bien à l'abri, comme Bonaparte dans la batterie des « Hommes-sans-Peur », nous pouvions tirer au canon sur la redoute du mont Caire où les Anglais s'étaient enterrés pour se protéger[5]. Les arbres et les constructions modernes gênaient la vue sur la mer mais, en les effaçant par la pensée, nous pouvions corriger nos tirs.

Faire un récit de ce qui s'est passé dans ces collines avait transfiguré le réel. Avec nos mots nous pouvions créer un événement et tisser un lien affectif. Les archives nous fournissaient quelques morceaux d'histoire avec lesquels nous construisions une représentation de l'épopée bonapartiste qui avait été vécue, ici même, près de ce grillage rouillé et de ces piliers en ciment.

Quand l'âme de la petite Émilie a été assommée par la phrase massue : « Ta mère est une pute qui est partie avec

---

5. Vieillefosse P., « Bonaparte au siège de Toulon, 1793 », *Cahiers seynois de la mémoire*, n° 2, janvier 1995.

un boche », l'enfant, dès la fin de la partie de pêche, en rentrant à la maison, avait éprouvé l'étrange impression que les gens portaient des masques ! Ils souriaient et parlaient comme d'habitude, ils entouraient l'enfant avec gentillesse et pourtant, ils sonnaient faux : « Ce n'est pas normal d'être gentil avec une fille de boche, pensait l'enfant. Les adultes devraient me mépriser, j'ai entendu comment ils parlent des boches d'habitude. Si les grandes personnes me parlent aimablement, c'est qu'elles préparent un mauvais coup. » Émilie se mit à les considérer comme des hypocrites car toute relation prenait désormais, pour elle, un goût d'inauthenticité.

Quand, cinquante ans plus tard, Émilie a repris possession de son histoire en fouillant dans les archives, en rencontrant des témoins, en bavardant, en accumulant des photos, elle a été étonnée de constater que la nouvelle représentation qu'elle se faisait de son passé se construisait au gré de ses recherches et modifiait étonnamment le sentiment qu'elle éprouvait d'elle-même : « Je me sens curieuse de ce qu'on m'a caché. J'ai la passion des événements que j'ignorais. Je lis, je voyage et quand je fais une mauvaise rencontre je parviens à en rire dès que j'en parle avec mes amis. Je vais en Allemagne où j'ai retrouvé des demi-frères, je m'occupe d'une association d'enfants nés pendant la guerre de femmes françaises et de soldats allemands, je découvre la condition des femmes sous Vichy, et je comprends que je suis innocente, je suis à ma place. J'ai souffert uniquement du regard des autres, je découvre que je suis une enfant de l'amour. Je n'ai commis aucun crime, j'ai eu tort d'avoir honte, et j'ai même compris que les enfants de nazis et de prostituées sont aussi innocents que moi. »

Tout récit est un plaidoyer, une légitime défense. Dès qu'on pense à notre passé, on cherche à le redéfinir[6]. Il suffit d'adresser cette histoire aux autres pour modifier nos relations, pour ne plus se sentir comme avant : « Innocente, alors que je me croyais coupable, fière alors que j'avais honte, gaie alors que j'étais triste. »

Tout récit est une entreprise de libération : « J'ai partagé ce que les autres enfants racontaient de leurs pères, dit Pierrot. Je croyais avoir un père glorieux, et quand j'ai découvert que c'était un traître qui appartenait au camp des oppresseurs, j'ai été assommé pendant plusieurs années. Aujourd'hui, je découvre un père différent. Je l'imagine faible, vaniteux, méprisable et... attendrissant. Tout le monde savait, et personne n'a osé déchirer son image. Quand, à la préfecture, on m'a révélé qu'il avait fait fusiller quatorze amis d'enfance, j'ai cru mourir. Mais depuis que je cherche à comprendre, un peu de vie revient en moi. Je crois que je souffrirai moins le jour où je pourrai en parler avec quelqu'un qui a eu une expérience proche de la mienne. »

Pierrot, en remaniant son nouveau passé, se sent moins soumis au récit des autres, aux aventures glorieuses de ses copains d'enfance ou à l'assommoir de la révélation administrative. Depuis qu'il enquête sur la condition des résistants et des collabos il se sent plus libre. C'est lui qui décide aujourd'hui comment travailler à sa propre histoire.

Un récit n'est pas le retour du passé, c'est une réconciliation avec son histoire. On bricole une image, on donne une cohérence aux événements, comme si l'on réparait une

---

6. Bruner. J., *Pourquoi nous racontons-nous des histoires ?*, Paris, Retz, 2002, p. 17.

injuste blessure. La fabrication d'un récit de soi remplit le vide des origines qui troublait notre identité. Un enfant abandonné ne sait pas d'où il vient, son image commence avec l'impossible représentation de sa mère et de son père : un gouffre à l'origine de soi ! Quand un enfant s'inscrit dans une famille stable, son identité commence avec les parents et les grands-parents dont il vient. Ses origines remontent le temps, l'histoire de sa vie commence avant sa naissance et les événements utilisés pour construire son identité servent aussi à justifier ses humeurs. Quand il est triste, il part dans les temps anciens à la recherche des événements qui pourraient expliquer son état et, quand il est gai, il découvre d'autres faits, tout aussi vrais, qui donnent à son passé une forme qui explique son présent.

Mme Mel avait acheté un petit appartement près de la halle aux poissons à Toulon. Longtemps après, elle racontait qu'elle était « folle de bonheur » en entendant le petit peuple débarquer les casiers à quatre heures du matin et parfumer la rue de l'odeur de la marée. Mais quand son humeur soudain plongeait dans un abattement mélancolique, elle expliquait qu'elle avait beaucoup souffert du bruit des casiers à l'aube et de l'odeur de poisson. Le rappel du même fait prenait, dans sa mémoire, une connotation affective différente selon son humeur.

Une chimère authentique

C'est dire que tout récit est vrai comme sont vraies les chimères : le ventre est d'un taureau, les ailes d'un aigle et les pattes d'un lion. Tout est vrai, et pourtant l'animal n'existe pas ! J'aurais dû écrire : tout est partiellement vrai, et l'animal, totalement faux. Ou encore : tous les morceaux sont vrais, je n'ai jamais menti en rappelant mes souvenirs, mais, selon les circonstances ou selon mon humeur, j'aurais pu faire revenir d'autres épisodes tout aussi vrais qui auraient composé une autre chimère.

La chimère de soi est un animal merveilleux qui nous représente et nous identifie. Elle donne cohérence à l'idée que l'on se fait de soi, elle détermine nos attentes et nos frayeurs. Cette chimère fait de notre existence une œuvre d'art, une représentation, un théâtre de nos souvenirs, de nos émotions, des images et des mots qui nous constituent.

Les hommes sans histoire ont une âme dispersée. Sans mémoire et sans projet, ils sont soumis au présent comme un drogué qui n'est heureux que dans l'éclair de l'immédiat. Quand on n'a pas de mémoire on devient personne et quand on a peur de son passé on se laisse piéger par son ombre.

Le seul moyen d'accéder à l'autonomie, c'est de construire une chimère, une représentation théâtrale de soi, une fascination pour l'inattendu, un amour des rebondissements qui jalonnent le roman de notre vie. C'est pourquoi toute histoire flirte avec le traumatisme, au bord de la déchirure. Si nous n'avions pas d'écorchures, la routine de nos existences ne mettrait rien dans nos mémoires. Nous écririons des « biographies à pages blanches[7] » et ce réel sans rhétorique engourdirait notre psychisme.

Par bonheur, nos chimères font de nos vies des aventures romanesques. Nous agençons nos représentations passées et à venir afin de composer une vérité narrative.

7. Collard C., *Les Nuits fauves*, Paris, Flammarion, 1989.

Comme tout animal vivant la chimère évolue, elle prend des formes différentes selon les moments, elle s'accorde aux personnes qu'elle rencontre et aux contextes culturels dans lesquels elle vagabonde.

La vérité historique n'est pas de même nature que la vérité narrative qui nous enchante ou nous déprime. Une archive nouvelle, un témoignage inattendu structure la chimère historique, tant qu'une autre archive ou un autre témoignage ne viendra pas la modifier. Cet animal est stable car son anatomie est attestée par de vrais documents. Mais, quand une donnée nouvelle modifie la charpente, la bête est invitée à changer de forme.

La chimère narrative est plus dynamique : qu'elle soit triste ou gaie, elle court à la rencontre des autres afin de leur raconter son histoire. Mais la manière dont autrui réagi modifie le style de son expression. L'alentour participe au récit autobiographique ! Un jour, un événement nous donne l'occasion de saisir les rênes de la représentation chimérique et de gouverner le spectacle de notre existence. Dès lors, nous devenons capables de modifier le sentiment provoqué par la nouvelle représentation de nous-même.

Pierrot et Émilie, avec des succès, des bonheurs et des souffrances variables, ont pu travailler à leur résilience dès que les récits d'alentour ont changé. Alors que Mugabo et Akayesu sont encore entravés par une culture détruite ou par une situation familiale indicible. Leurs chimères de soi ne peuvent pas galoper, la culture les entrave en les empêchant de s'envoler. Mais un jour reviendra la vie, une nouvelle société leur redonnera les rênes de la représentation de leurs tragédies.

Nous ne sommes pas maîtres des circonstances qui plantent dans nos âmes le sens que nous attribuons aux choses. Mais il nous reste une petite liberté quand nous agissons sur la culture afin de permettre aux blessés de reprendre un néodéveloppement résilient.

Chaque archive, chaque rencontre, chaque événement qui nous invite à créer une autre chimère narrative, constitue une période sensible de notre existence, un moment fécond, un bouleversement chaotique à partir duquel nous allons tenter douloureusement de réapprendre à vivre.. avec bonheur !

Ce que vous allez lire, peut-être

Quelques procédés de résilience nous seront expliqués par l'étude des conséquences psychiques des catastrophes naturelles. Vous verrez que les résultats sont différents selon les cultures.

Les calamités interhumaines sont plus fréquentes et plus délabrantes. Elles nous permettront d'étudier le monde mental de ceux qui les provoquent. La définition du terrorisme dépend du point de vue de celui qui le définit. Il en ressort tout de même que des hommes biens élevés peuvent commettre des actes pervers sans être eux-mêmes pervers.

Les survivants, eux, ne sont pas totalement morts. Ils ne sont que des épouvantails, des illusions d'êtres humains qui ne pourront redevenir de vraies personnes qu'à condition que leur milieu les laisse parler. Le retour de la vie psychique après l'agonie comprend un moment de dépersonnalisation qui frôle le masochisme moral.

L'obéissance, nécessaire et sécurisante pour tout être humain, peut, selon le contexte, évoluer vers des formes morbides de prises de pouvoir ou d'érotisation de la servitude.

Les enfants cachés lors de tous les génocides et les enfants adoptés qui réapprennent à vivre dans de nouveaux bras nous aideront à comprendre comment on reprend vie.

Voilà, le livre est presque terminé. Il ne vous reste que deux cent quarante-sept pages à lire.

I

CATASTROPHES NATURELLES
ET CHANGEMENTS CULTURELS

Adaptation et évolution
au bonheur des cafards

La vie psychique ne pourrait pas se développer au milieu du chaos, le tumulte du réel nous empêcherait de donner un ordre au monde. À l'inverse, nos représentations ne pourraient pas prendre forme dans la routine où une information qui serait toujours la même finirait par ne plus être une information.

Le rôle de la chimère, c'est d'arranger les phénomènes afin de donner au monde une forme stable, momentanément. Grâce à cet animal fabuleux nous pouvons voir la saillance des objets, des gens et des événements. Désormais nous savons comment nous conduire dans le monde, comment le fuir ou le domestiquer. Nous nous adaptons au monde que nous venons d'inventer et nous répondons au sens que notre chimère vient de lui donner. Nous appelons « chaos » le bouillonnement de la vie que nous ne savons pas nommer, et nous croyons à la chimère qui donne forme aux phénomènes que nous nous représentons.

Quand nous voyageons, nous avons une énigme sous les yeux. Nous voyons bien que les espèces animales et végétales du pays que nous traversons n'occupent que le morceau du monde qui leur convient. Les chênes de la côte varoise poussent loin de la mer, et les renards sortent la nuit dans les jardins de banlieue. Pourtant, à cet endroit, on trouve des fossiles de mammouths, de rhinocéros laineux et des espèces végétales qui n'existent plus aujourd'hui. Il y a donc eu ici, dans ce coin de planète, des bouleversements radicaux. On les nomme « désastres » quand une forme de vie ne réapparaît plus, et « chaos » quand l'ordre de Dieu ou de la parole n'a pas encore dessiné un contour visible et transitoire au bouillonnement de la vie. On peut aussi appeler « catastrophe » un brutal changement de rythme de la poésie : vous commencez à réciter un vers et soudain « cata », une coupure vous oblige à continuer autrement la récitation de la seconde partie de la strophe. Ce moment de chaos, comme une césure, permet l'évolution entre l'ordre ancien et un nouveau monde.

L'adaptation est donc inévitable et incessante puisque les environnements sont toujours nouveaux. Nous avons l'impression que le monde est stable parce que nous sommes mortels et que, pendant la durée de notre vie, nous avons besoin de mettre un ordre afin d'organiser nos stratégies d'existence. Si nous étions immortels nous pourrions constater que la stabilité est brève et que tout ordre mène au désordre.

Dans une cuisine douteuse, les cafards sont heureux. Ils s'adaptent si bien, ils prolifèrent en si grand nombre qu'ils changent le milieu auquel ils ne s'adaptent plus.

L'adaptation ne serait que le flash photographique de l'inévitable transaction d'un être continuant à vivre dans un
milieu changeant.

Pour éclairer ce phénomène, nous pouvons observer
comment les cerfs sika s'y sont pris pour survivre et disparaître. En 1916, cinq cerfs ont été débarqués sur l'île Jam
près du Maryland aux États-Unis. Les animaux s'y trouvaient si bien que, quarante ans plus tard, en 1955, on en
comptait trois cents magnifiques, en pleine santé. Tout le
monde fut surpris quand les trois quarts des animaux moururent en 1958 alors que rien n'avait changé sur l'île. La
température, l'eau, l'espace et les végétaux assuraient
l'abondance et la tranquillité. L'absence de prédateurs et de
parasites avait fait de cette île un paradis pour cerfs. Pour
comprendre cette calamité il a fallu admettre qu'un seul
facteur avait bouleversé le monde de ces animaux : leur
succès adaptatif! Ils étaient si bien sur cette île, ils proliféraient en si grand nombre que leur hyperadaptation avait
créé un environnement de surpopulation. Et quand on sait
que chaque rencontre provoque un stress facile à repérer
en dosant le cortisol et les catécholamines, il a bien fallu
admettre que l'excellent développement de cette population avait saturé le milieu au point de provoquer des
rencontres incessantes. L'excès d'émotion produisait
à l'intérieur de chaque organisme un affolement sensoriel
qui tuait les animaux par épuisement des glandes
surrénales[1].

Quand le phénomène d'hyperadaptation survient ailleurs que sur une île, c'est un conflit qui le règle. Quand

---

1. Christian J. J., « The roles of endocrine and behavioral factors in the growth
of mammalian populations », in A. Gorbman (éd.), *Comparative Endocrinology*,
New York, Wiley, 1959, p. 71-97.

trop d'herbivores se plaisent sur un endroit de la planète, ils provoquent une surpâture[2] qui altère chaque membre du groupe. Quand trop de rats se délectent dans un égout de cocagne, ils deviennent si nombreux que les rituels d'interaction entre les mères et les petits et entre les membres du groupe ne parviennent plus à structurer leur coexistence. Les individus non coordonnés établissent entre eux des rapports de violence extrême, alors que tout va bien. Les mères mangent leurs petits, les mâles s'entretuent et le groupe se désorganise à cause de son succès adaptatif.

Malheur au vainqueur

Malheur au vainqueur ! Par son point fort, il va mourir.

Ce n'est pas grâce à la biologie que les êtres humains sont forts. On peut même trouver miraculeux qu'une espèce si faible ait pu conquérir autant d'espace sur la planète. Notre point fort, c'est l'artifice. Artifice du verbe qui nous permet de faire vivre ici, en agitant la langue, un monde ailleurs impossible à percevoir. Nos récits créent des merveilles, des œuvres d'art et des histoires bouleversantes. Nos récits créent des horreurs, des préjugés et des discours de haine.

À l'artifice de la langue s'ajoute celui de l'outil. Le caillou et le feu nous ont permis de survivre en éloignant les fauves qui nous mangeaient de bon appétit. Une technologie élémentaire nous a permis de maîtriser un seg-

---

2. Wynne-Edwards V. C., *Animal Dispersion in Relation to Social Behaviour*, Londres (Olivier A. Boyd), 1962.

ment de monde où nous avons créé une écologie de cocagne. Nous stockons nos aliments, nous chauffons l'hiver et rafraîchissons l'été, nous utilisons l'énergie des choses, de l'eau, du pétrole et d'autres êtres vivants que nous réduisons à l'état d'esclaves ou que nous consommons. Cet extraordinaire succès adaptatif crée une nouvelle écologie qui constitue l'équivalent humain de la surpâture. Notre victoire intellectuelle nous permet de nous épanouir en surexploitant la nature.

Les cerfs sika sont morts de surpâture. Leur succès adaptatif portait en lui le germe de la disparition. Allons-nous mourir de notre surpâture? Nos succès intellectuels portent-ils en eux le germe de notre mort? Allons-nous évoluer vers le désastre, le chaos ou la catastrophe? Comme je suis optimiste, j'inclinerai pour la catastrophe qui, depuis que la Terre est Terre, a déjà frappé cinq fois. Après la césure un nouvel ordre apparaît, comme ce fut le cas, il y a soixante-cinq millions d'années, quand une modification écologique a asphyxié les dinosaures et convenu aux mammifères qui se sont alors épanouis sur la planète.

L'idée de catastrophe ne me déplaît pas puisqu'elle consiste à passer le relais à une autre manière de vivre ensemble. Mais si l'on veut comprendre ce phénomène d'évolution par catastrophes, il faut renoncer aux explications par une cause unique.

Les raisonnements systémiques[3] nous permettent de comprendre qu'il suffit d'agir sur un seul point du système

---

3. À ne pas confondre avec systématique. *Systémique* : on analyse un phénomène global (système sanguin ou système nerveux) où plusieurs causes différentes mais coordonnées participent au fonctionnement d'un même ensemble non divisible. *Systématique* : opinion excessivement généralisée par entraînement ou facilité de pensée.

pour modifier le fonctionnement de l'ensemble. Grâce aux lynx du Canada, il est possible d'illustrer cette idée[4]. Pendant presque deux siècles, les compagnies peaussières ont tenu soigneusement les registres de la vente des peaux. Les profits alternaient avec les faillites, ce qui donnait aux courbes un aspect cyclique. Les banqueroutes aggravaient l'inégalité sociale puisque seuls les enfants de riches pouvaient étudier dans les collèges privés. Jusqu'au jour où les chasseurs ont découvert que ces faillites correspondaient à la diminution des lièvres à pattes blanches. Il suffit de comprendre que la diminution des lièvres entraîne la famine des lynx, donc la dégradation du commerce des peaux. Quelques décennies plus tard, ils découvrirent que la disparition d'une graminée avait entraîné la décroissance des lièvres et que cette plante séchait parce que le Canada connaissait une période de réchauffement.

Ceux qui ont appris à raisonner en termes de causalité exclusive où une seule cause provoque un seul effet auront du mal à comprendre comment la disparition des lièvres à pattes blanches a pu améliorer les résultats scolaires des gosses de riches. Mais ceux qui se sont entraînés aux cascades de causalités concevront sans difficulté que la chaleur du climat en asséchant une graminée avait affamé les lièvres à pattes blanches et entraîné la disparition des lynx. L'effondrement des petites compagnies peaussières avait écarté des études les enfants dont les parents ruinés ne pouvaient plus payer les collèges privés.

Un tel raisonnement utilise la notion de catastrophe et non pas celle de désastre, car le chaos momentané a rema-

---

4. Leakey R., *La Sixième Extinction. Évolution et catastrophes*, Paris, Flammarion, 1997, p. 200-204.

nié le système et réorganisé une autre manière de vivre. Une révolution est le résultat d'un fracas inattendu alors qu'une catastrophe constitue l'aboutissement d'une évolution adaptée qui mène à l'effondrement. Le bouillonnement de la vie est si puissant que le système se remet à fonctionner, mais sous une autre forme.

Il semble même que la catastrophe soit une règle d'évolution. À la fin du Permien, il y a deux cent cinquante millions d'années, 90 % des espèces marines ont disparu en un éclair de deux cent mille ans[5]. Puis la vie océanique a rebondi et de nouvelles faunes sont apparues. Cette césure catastrophique s'est produite cinq fois dans l'histoire de la planète, au point que certains biologistes évoquent une résilience naturelle[6]. Le pouvoir de la vie est si puissant que, tel un énorme torrent, il repart sous d'autres formes après un fracas.

Le trauma, un attracteur étrange

Le chaos en ce sens est déterministe[7]! L'association de ces deux mots peut surprendre, mais si l'on accepte l'idée qu'une chose, un groupe ou un sujet sont pétris par les pressions de l'environnement, il ne sera pas difficile de concevoir que, lorsque ces lignes de force sont brisées par un moment de chaos, d'autres lignes apparaîtront qui dis-

5. Crasquin S., « Quand la vie faillit disparaître », La Recherche, juin 2007, n° 409, p. 30-35.
6. Dufresne J., « Le roseau et le tartigrade », in La Résilience. L'Agora, oct.-nov. 1999, vol. 7, n° 1, p. 8-10.
7. Leakey R., La Sixième Extinction. Évolution et catastrophes, op. cit., p. 200-204.

poseront autour de la chose, du groupe ou du sujet d'autres forces déterminantes.

Pour un psychisme humain, le chaos correspond à la déchirure traumatique et la résilience répond aux remaniements du système. Les nouveaux déterminismes, les « attracteurs étranges[8] » mis en place lors du chaos sont imprévisibles. Le pouvoir créateur du monde vivant ne fait jamais réapparaître la vie sous un même aspect. Après le chaos, il en invente d'autres.

La désorganisation d'un système peut venir de l'extérieur quand une météorite assombrit l'atmosphère ou quand une guerre détruit une société. Elle peut venir aussi de l'intérieur quand l'être vivant prolifère tellement que chaque individu de ce groupe pléthorique vit désormais dans un chaos sensoriel, conséquence de son succès adaptatif[9]. Après un incendie une nouvelle flore apparaît, après l'éruption d'un volcan le paysage est modifié, après la disparition des renards les rats prolifèrent, après la mort d'un parent la famille se réorganise. Le bouillonnement chaotique n'est pas aléatoire puisque mille déterminismes peuvent donner mille directions différentes dont quelques-unes seulement seront privilégiées par les pressions du milieu... en attendant la catastrophe suivante.

Ce n'est pas forcément le vainqueur qui impose son ordre[10]. Une prolifération cellulaire provoque un cancer, une poussée démographique mène à l'anomie quand les individus se cognent dans une société où réapparaissent les

---

8. Thom R., « Halte au hasard, silence au bruit », *Le Débat*, n° 3, Paris, Gallimard, 1980.
9. Hastings A., Higgings K., « Persistence of transients in spatially structured ecological models », *Science*, 1994, vol. 263, p. 1136.
10. Stuart L., Pimm L., Gittelman J. L., « Food webpatterns and their consequences », *Nature*, 1991, vol. 350, p. 669.

rapports de forces. L'adaptation, inévitable, n'est pas toujours un signe de santé. La pression sanguine qui fait monter le sang au cerveau s'oppose aux phénomènes d'attraction terrestre qui tendent à le faire descendre. Mais ce succès adaptatif provoque parfois l'hypertension qui détruit le cerveau qu'il avait protégé. Les prisonniers aussi s'adaptent au minuscule espace de leur cellule par des déambulations stéréotypées ou par le délire qui remplit leur vide psychique. Et quand la technologie provoque une urbanisation fulgurante, la culture n'a pas le temps d'évoluer et de mettre au point les rituels d'interaction qui structurent la coexistence. On voit alors réapparaître, dans ces lieux où triomphent les machines, quelques processus de socialisation archaïque où un chef de clan, renforcé par ses lieutenants, impose sa loi, par sa force physique, son emprise psychique ou sa domination économique. La soumission dans ce cas est une adaptation qui, en donnant le pouvoir à un tyran, empêche l'évolution du groupe et sa créativité.

Malheur au vainqueur, il nous entraîne vers un ordre mortifère. Hegel avait déjà souligné « l'impuissance de la victoire » quand Napoléon, vainqueur en Espagne, avait provoqué une réaction populaire telle que son succès avait renforcé ses adversaires. Le même phénomène de victoire néfaste se renouvelle aujourd'hui en Algérie, en Israël et en Irak.

Le chaos invente sans cesse des vies inimaginées. Il y a cinquante-cinq millions d'années, sur la côte atlantique de l'Amérique du Nord, il y a eu six montées d'océan qui ont tout noyé. Chaque fois que l'eau redescendait sont apparues des faunes et des flores qui n'avaient jamais existé auparavant, comme en attestent les fossiles. À chaque descente d'eau, les conditions écologiques qui avaient précédé l'inondation se remettaient en place, donc, une adaptation systématique aurait dû faire réapparaître les mêmes plantes et les mêmes animaux. Eh bien, non! À chaque bouleversement six fois répété, de nouvelles formes de vie ont été inventées [11]. « On a longtemps pensé que la faculté de l'homme à infliger des traumatismes au monde naturel... était un phénomène récent de l'histoire humaine [12] », on découvre maintenant qu'il lui suffit d'apparaître sur un point du globe pour que sa créativité artificielle provoque un chaos qui entraîne la disparition de la faune et de la flore. La science aggrave ce pouvoir en introduisant du chaos qui bouleverse nos représentations chaque fois qu'elle découvre un déterminisme inattendu.

On ne peut pas se conduire raisonnablement dans un monde chaotique, car il est impossible de partir en tous sens. Il faut donner forme au monde pour lui répondre et s'y comporter, il faut lui donner sens pour adapter une stratégie d'existence. C'est notre sensorialité qui nous sort du chaos et ce sont nos récits qui imprègnent du sens dans les événements. Cette adaptation nécessaire explique notre amour des mythes, des préjugés et des tyrans. Ils nous sauvent du chaos, donnent sens à la nouvelle bousculade et nous mènent à notre perte pour notre plus grand bonheur.

Supposons qu'il n'y ait jamais de chaos dans notre existence, nous vivrions dans une routine anesthésiante, une non-vie avant la mort. Par bonheur, quelques moments de fracas existentiels jalonnent notre mémoire.

---

11. Jackson J. B. C., « Community unity? », *Science*, 1994, vol. 204, p. 1412.
12. Leakey R., *La Sixième Extinction. Évolution et catastrophe, op. cit.*, p. 224.

Nous en souffrons, bien sûr, mais après le coup, quand nous y repensons, ils charpentent notre identité narrative : « Je suis celui à qui est arrivée une blessure incroyable. Je suis devenu le héros intime du roman de mon existence. Je sais mieux que quiconque ce qui m'est arrivé et comment j'ai combattu cette souffrance infligée. Je suis passé de la confusion à la clarté. »

Nous sommes contraints au sens. Dans un monde insensé, nous ne serions qu'une masse vide, une non-vie psychique. Dès qu'un événement jalonne la représentation que nous nous faisons de nous-mêmes, notre vie mentale commence, pleine de douleurs et de plaisirs, d'orages désirés et de calmes plats. Le retour à la vie devient paranoïaque puisque nous sommes à l'affût de tout ce qui fait signe. « Quand je suis mort, vous pouvez dire ce que vous voulez et faire n'importe quel geste. Peu m'importe puisque ça ne prend aucun sens pour moi. En revanche, dès que la vie revient en moi, je cherche à interpréter la moindre de vos mimiques, le plus banal de vos mots : quand j'arrive dans un groupe et que les gens se taisent, ça me fournit la preuve qu'ils parlaient de moi. » L'irrationnel est un vestige d'existence quand on a été en agonie traumatique. C'est une tentative de reprendre un peu de vie psychique en interprétant le moindre indice qui pourrait donner sens à ce que nous percevons : « À deux cents mètres des chambres à gaz, cela fait du bien d'entendre que l'on a une longue ligne de vie[13] », explique cet ancien déporté qui se faisait lire les lignes de la main. La croyance irrationnelle, dans un contexte où tout meurt, possède une fonction de sécurisation. Quand on se sent en danger, quand le monde

---

13. Bialot J., *C'est en hiver que les jours rallongent*, Paris, Seuil, 2002, p. 263.

n'est pas maîtrisable, on cherche à le contrôler grâce à un fétiche, un porte-bonheur, un geste ou une formule magique. Le traumatisé lui aussi se fabrique une chimère qu'il appelle « vision du monde » après une révélation initiatique. « Je viens de découvrir une vérité cachée », dit l'homme abandonné, momentanément heureux d'entrer dans une secte.

La contrainte au sens qui nous protège et nous rend créatifs pour notre plus grand bonheur fabrique en même temps les chimères sociales et les sacrifices de boucs émissaires pour notre plus grand malheur.

Histoire et catastrophe naturelle

Les catastrophes naturelles créent des situations spontanées, quasi expérimentales, qui permettent d'illustrer cette idée : quand un tremblement de terre ou l'irruption d'un volcan détruit une île et des milliers de familles, la vie qui renaît dans ces lieux et dans ces âmes prend une forme nouvelle, sculptée par la solidarité. Nous nous sentons généreux d'éprouver un sentiment de fraternité, puis nous cherchons quelques raisons qui pourraient légitimer la violence irrationnelle provoquée par la catastrophe.

Soudain un fracas brise les murs et ouvre la terre. Impossible à comprendre ! Que se passe-t-il dans ce monde hors norme, impensable, alors que le bruit est terrible et que la poussière noie le paysage ? La catastrophe naturelle, comme métaphore du traumatisme psychique, nous aide à comprendre que le trauma réel qui écroule et qui tue n'est pas pensable. On essaie de tenir debout, d'éviter les décombres et de respirer, c'est tout.

Quand les secours arrivent, on constate souvent que la souffrance morale et parfois même physique n'apparaît pas tout de suite. Il faut un délai pour se faire une représentation de la catastrophe, il faut une mémoire pour mettre dans le monde psychique une image d'horreur, un bruit assourdissant qui n'ont pu être pensés. Alors seulement, les blessés commencent à souffrir, mais cette fois-ci c'est la représentation de ce qui s'est passé qui leur fait mal. D'une manière générale après une catastrophe ou un trauma, les troubles apparaissent après un temps de latence qui varie de quelques heures à quelques mois. Les altérations d'une population blessée croissent alors rapidement puis décroissent lors de la deuxième année[14]. On peut interpréter cette courbe habituelle en disant qu'il y a dans chaque homme une « résilience naturelle ou spontanée ». Nous ne tiendrons pas un tel raisonnement qui autoriserait un optimisme démissionnaire. Un mois après tout trauma, on évalue à 42 % les troubles psychologiques qui, à treize mois, tombent à 23 %, pour ne laisser trois ans plus tard que 3 % de personnes encore tourmentées par le fracas passé. Si l'on se contente de cette information, on va logiquement aboutir à la phrase : « Il n'y a qu'à attendre que ça passe. La nature humaine est si bien faite que la vie répare ce genre de blessure. »

Mais une démarche scientifique nous a appris à nous méfier des réponses hâtives. Nous savons qu'une conclusion ne sert qu'à poser de nouvelles questions, nous découvrons sans peine que d'autres facteurs interviennent pour expliquer toute courbe en cloche. La partie décroissante

---

14. Foa, E. B., Stein D. J., Mc Farlane A., « Symptomatology and psychopathology of mental health problems after disaster », *Journal of Clinical Psychiatry*, 2006, 67 (sup. 2).

des souffrances n'est pas le résultat d'une vertu naturelle, elle est attribuable à la reconstitution d'une solidarité et au travail de sens effectué au cours des tentatives d'explication. Ceux qui mettent longtemps à se remettre du trauma ou ne s'en remettent jamais sont ceux qui ont été abandonnés par le groupe. Il y a eu beaucoup de morts autour d'eux et les préjugés familiaux ou culturels, en les isolant, ne leur ont pas donné la possibilité de se resocialiser et de remanier la représentation de la tragédie[15].

Pourtant, tous les facteurs de résilience ne sont pas externes. Après une catastrophe naturelle, on trouve dans la population de ceux qui souffrent encore une très forte proportion de personnes qui, avant le fracas, avaient déjà des difficultés psychiques. Elles avaient été blessées, isolées ou hospitalisées, et la catastrophe avait réveillé ces blessures encore mal cicatrisées. Ce constat logique explique pourquoi, même si les circonstances du trauma étaient identiques, les réactions de chaque individu seraient différentes. Quand un blessé de l'âme ne devient pas résilient, ça ne veut pas dire qu'il est incompétent ou qu'il se laisse aller au malheur. Sa difficulté à reprendre un développement témoigne de la fragilisation qu'il avait subie avant le trauma autant que de la défaillance de l'entourage. Quand la famille n'a pas été soutenante ou quand les récits culturels ont aggravé la blessure par abandon, préjugé ou stigmatisation, l'évolution résiliente a été entravée : « Les enfants des rues sont des monstres. Ça ne sert à rien de s'en occuper. Ils sont voués à la prison. » Ce genre de prophétie autoréalisatrice coûte terriblement cher sur le plan écono-

---

15. Sharan P., Chaudhary G., Kavetheckar S. A., Saxena S., « Preliminary report of psychiatric disorders in survivors of severe earthquake », *American Journal of Psychiatry*, 1996, 153, p. 556-558.

mique. La solidarité est une bonne affaire, quand on sait qu'un enfant arraché à la rue par un foyer d'accueil, par une école ou un métier coûte moins cher qu'un adulte en prison. La courbe descendante des troubles traumatiques après un tremblement de terre ou une agression humaine ne veut pas dire que le temps a fait son œuvre, elle témoigne de la réorganisation de la vie du blessé.

Quand la vie revient

La nouvelle trajectoire existentielle qui définit la résilience subit trois pressions de nature différente.

• La structure de l'événement traumatisant participe à la signification de la blessure : après une inondation qui a détruit la maison, ruiné les propriétaires et noyé quelques amis, on note moins de troubles traumatiques qu'après un viol ou l'assassinat d'un proche ! On pardonne à la nature que l'on juge innocente, alors qu'on souffre longtemps de la blessure infligée par un homme.

• Le développement et l'histoire du sujet avant le fracas donnent à un même événement un poids plus ou moins lourd. L'expérience passée a laissé dans le cerveau une trace qui lui a appris un type de réaction. Quand après la guerre une mine explose, ceux qui ont traversé la période des combats ont appris à regarder dans la bonne direction et à s'immobiliser dans un endroit protégé. Ceux qui n'ont pas tracé un tel événement dans leur mémoire cherchent en tous sens l'origine de l'explosion et ne savent pas plonger pour se mettre à l'abri. Cette trace cognitive, non consciente, est une sensibilisation acquise pour tout événement du même type. C'est l'expérience passée qui explique la réaction présente à une agression.

Le soutien au moment des épreuves anciennes est aussi une forme d'apprentissage. La ville de Naples a subi des tremblements de terre successifs. En 1980, dans les faubourgs de Pozzuoli, les ouvriers des entreprises du quartier ont été secourus de différentes manières. Un petit groupe a été protégé et éloigné de la zone détruite. Un autre a été aidé sur place. Tandis qu'un troisième n'a pas été sécurisé [16]. Après les tremblements de terre suivants (1983, 1984, 1987), les troubles psychiques manifestés dépendaient de la manière dont les ouvriers avaient été entourés auparavant, lors des premières secousses. Les hommes qui ont le plus souffert de troubles traumatiques lors des secousses ultérieures sont ceux qui, lors des secousses précédentes, n'avaient pas été secourus ou n'avaient pas su se faire aider. C'est dans ce groupe que la partie ascendante de la courbe des troubles traumatiques a été la plus raide. La surprise fut de constater que les ouvriers qui avaient été rendus passifs par un assistanat total souffraient presque autant de symptômes psychiques. À l'opposé, le groupe qui a donné le moins de syndromes psychotraumatiques était composé d'hommes qui non seulement avaient été entourés sur place parmi les décombres, mais qui, en outre, avaient été engagés dans l'action des secours. Les entourés passifs, rendus dépendants de l'aide, étaient à peine moins blessés que les abandonnés, dépersonnalisés par le trauma. Alors que ceux qui ont le mieux surmonté le tremblement

---

16. Bland S. H., O'leary E. S., Farinaro E., Jossa F., Trevisan M., « Long-term psychological effects of natural disasters », *Psychosomatic Medicine*, 1996, 58, p. 18-24.

de terre de 1987 ont été les hommes qui avaient été entourés et rendus actifs lors de l'effondrement de 1980.

• L'organisation du soutien après un trauma peut donc impulser un processus de résilience ou le bloquer. La sensibilité à l'événement a été acquise auparavant par un environnement dynamisant ou inhibiteur qui a imprégné dans la mémoire une confiance active ou une résignation face aux épreuves de l'existence.

Ceux qui ont eu la possibilité intérieure et extérieure de s'exercer aux réactions résilientes : « Je sais qu'on peut y arriver puisque j'ai déjà triomphé de ce genre d'épreuve. Je souffre, mais je garde espoir », ont moins souffert du traumatisme que ceux qui ont été laissés seuls sur place, ou évacués sans soutien. Le souvenir du premier tremblement de terre avec sa cascade de malheurs était réveillé par la récidive de la catastrophe : « Ça recommence. Ça ne finira donc jamais ! » Ces blessés-là avaient acquis une vulnérabilité à ce type d'événement, alors que ceux qui avaient été actifs et entourés lors du premier effondrement avaient acquis une confiance en eux.

Agir sur le coup est une forme de déni : « Je me sens mieux quand j'agis. Je me débats, j'enlève les décombres, j'aide les blessés, je porte de l'eau, je remplis les papiers. En m'agitant ainsi, je me défends, je remets en place les morceaux de mon moi déchiré, je reprends possession de mon psychisme abasourdi. » Le déni, qu'il soit mental ou physique, est un mécanisme de défense qui permet de moins souffrir en s'adaptant à un réel incohérent. Mais ce facteur de protection empêche la résilience quand il freine la recherche de sens.

Autobiographie et cinéma de soi

Pour historiser ce qui nous est arrivé, il faut un temps de latence, un délai qui permet de se retourner sur ce qui s'est passé afin d'en faire une représentation, une sorte de film intime où l'on revoit comment nos rencontres nous ont aidés ou enfoncés[17]. Ce cinéma de soi met en scène le soutien affectif et social qui a imprégné au fond de nous un sentiment de victoire ou d'amertume. Les croyances culturelles qui organisent notre entourage, la manière dont les autres regardent nos blessures et nous en parlent, donnent un goût à l'événement et structurent nos réponses. « Mon pauvre petit, tu ne t'en remettras jamais » ne donne pas le même goût que : « Nous allons te venger. » Les cultures collectives, en imposant une voie de développement normatif, entravent les aventures personnelles mais, en cas de malheur, elles protègent mieux que les cultures individualistes[18].

Tout cela explique l'étonnant constat des sauveteurs qui, après un tremblement de terre, remarquent que les populations éloignées de l'épicentre souffrent plus que celles qui en étaient proches ! Moins entourés par les secours, ces groupes lointains ont été soumis à la représentation d'une horreur qu'ils ne pouvaient pas contrôler. Ceux qui ont le mieux enclenché un processus de résilience

---

17. Tulving E., « Multiple memory systems and consciousness », *Human Neurobiology*, 1987, 6, p. 67-80.
18. Bhugra D., « Cultural identities ans cultural congruency », *Acta Psychiatrice Scandinavia*, 2005, 111, p. 84-93. Et Hofstede G., *Cultures Consequences*, Abridged, Beverly Hills (CA) Sage, 1984.

sont ceux qui, avant l'effondrement, avaient acquis une confiance en eux. Même dans ce cas, on s'étonne de l'apparition chez le blessé d'une nouvelle philosophie de l'existence[19]. « Depuis la guerre, je ne vois plus les choses comme avant... Depuis le tsunami, je suis devenu plus attentif aux autres... Je suis devenu croyant... »

C'est bien en conjuguant ces trois paramètres : le développement du sujet et son histoire prétraumatique, la structure du trauma, et l'organisation des soutiens post-traumatiques que l'on pourra collecter quelques critères de résilience et prédire l'apparition de troubles ou au contraire la mise en place d'un nouveau style d'existence[20].

Quand une trajectoire résiliente se met en place, les silences eux-mêmes deviennent révélateurs de la structure du discours social. Il arrive que la fuite dans l'action permette au blessé d'éviter de parler ou que l'entourage le fasse taire : « Allez, c'est fini tout ça... Il faut regarder devant. » Il arrive que la culture s'arrange pour évoquer quelques sujets supportables afin de mettre à l'ombre les aspects plus gênants. Après Hiroshima et Nagasaki (1945), les discours ont été remplis par les études physiques et médicales qui correspondaient aux valeurs de l'époque. Personne n'a pensé à étudier les effets psychiques d'une atomisation de la matière[21]. C'est seulement après le tremblement de terre de Kobe (1995) avec ses six mille morts et trois cent mille sans-abri que, la culture japonaise ayant

---

19. Linley P. A., Joseph S., « Positive change following trauma and adversity : a review », *Journal Trauma Stress*, 2004, 17, p. 11-21.
20. So-Kum Tang G., « Positive and negative post-disaster psychological adjustment among adult survivors of the Southern Asian earthquake-tsunami », *Journal of Psychotraumatic Research*, 2006, p. 699-705.
21. Kokaï M., Fujii S., Shinfuku N., Edward G., « Natural disaster and mental health in Asia », *Psychiatry and Clinical Neurosciences*, 2004, 58, p 110-116.

changé, les sauveteurs ont osé envisager les troubles psychologiques. Ce qui était impensable en 1945 a été pensé en 1995 parce que la culture japonaise s'était occidentalisée et que la notion de trouble traumatique flottait dans les récits culturels. Les chercheurs qui analysaient les souffrances à Kobe se sont posé la question : « Mais alors... quels troubles psychiques après Hiroshima ? »

Cinquante ans plus tard, les rares survivants de la désintégration atomique ont enfin pu envisager l'impensable. Ils ont avoué leur honte de ne plus appartenir à l'espèce humaine. Leur survie même était monstrueuse dans un monde où la mort était la norme. On observe un phénomène avec les matériaux que notre culture dispose autour de nous. Après Hiroshima, il était logique, dans le contexte culturel de l'époque, d'envoyer sur place des techniciens du béton, des physiciens et des médecins spécialistes des brûlures et du cancer, puisque ces problèmes alimentaient les débats de l'époque.

On remarque sans peine que l'effet des traumatismes diffère selon les réactions familiales, les institutions et les mythes. Mais une régularité se fait jour : plus la réaction sociale est désorganisée, plus les troubles seront importants. Quand l'entourage est détruit ou quand le mythe culturel pousse à se désolidariser des blessés, l'abandon empêche le travail de résilience. La négligence affective d'une famille altérée[22], la négligence institutionnelle qui ne prévoit pas d'aide médicale, psychologique ou financière, la négligence culturelle d'une société qui largue ses éclopés parce qu'ils n'ont plus de valeur, toutes ces mises à distance paralysent la reprise d'une trajectoire résiliente et enfer-

---

22. Delage M., *La Résilience familiale*, Paris, Odile Jacob, 2008.

ment une partie de la population dans une sorte de camp de réfugiés psychiques qui ne pourront plus participer à l'aventure sociale[23].

La maturation posttraumatique change le goût du monde

Un phénomène étrange pose le problème du rebond résilient : après une catastrophe naturelle ou un trauma social, il n'est pas rare de noter une maturation psychique comme si, face à un fracas, il fallait choisir entre l'effondrement ou une poussée de gravité[24]. Quand il n'y a ni maison, ni famille, ni groupe social, les stratégies d'existence sont claires, on ne peut que se laisser mourir ou se débattre pour affronter la nouvelle réalité. Sur le coup, on n'a pas le choix, la contracture antalgique tente de diminuer la souffrance, on serre les dents, on ne pense pas. Mais, tout de suite après le coup, on se demande comment faire pour redevenir humain. La rumination impose l'image de la blessure ou de la désolation. Ce souvenir se fixe dans la mémoire, comme une pierre tombale à la fin d'une existence. Mais la contrainte à expliquer, la rage de comprendre, peut aussi créer une préoccupation constante où le sujet blessé consacre son énergie à organiser sa nouvelle existence pour lutter contre la blessure et apprendre à vivre autrement. Un tel néodéveloppement, face à une nouvelle réalité, avec en tête une nouvelle philosophie de l'exis-

---

23. Naha N., *La Guerre du Liban : séquelles ou relances psychosociales ? Adaptation ou personnalisation des enfants libanais de l'attachement au coping*, thèse de doctorat en psychologie, université Toulouse-II, 2001.
24. Cryder C. H., Kilmer R., Tedeschi R. G., Calhoun L. G., « An exploratory study of post traumatic growth in children following a natural disaster », *American Journal of Orthopsychiatry*, 2006, vol. 76, n° 1, p. 65-69.

tence, une nouvelle sensibilité au monde (« Je ne vois plus les choses comme avant »), utilise les images et les mots du fracas passé pour en faire quelque chose à venir. Un tel processus enclenche un travail de résilience [25]. Utiliser le souvenir d'une blessure pour en faire une démarche dynamique situe ce travail psychologique bien au-delà de l'affrontement avec le trauma et les facteurs d'adaptation. Le blessé reprend en main ce qui lui est arrivé pour en faire un nouveau projet d'existence, parfois même dans un contexte adverse. Une telle évolution résiliente n'évite pas la détresse ou la souffrance quotidienne infligée par l'adversité, mais elle utilise la mémoire de la blessure pour organiser une nouvelle manière de vivre.

La maturation posttraumatique est peut-être due à une dépression insidieuse. L'enfant dont l'alentour est blessé perd son insouciance puisqu'il n'a plus de base de sécurité. Dans cette nouvelle situation, certains enfants s'adaptent en régressant pour se faire prendre en charge, mais d'autres ressentent un besoin de rêver : « Je souffre, je deviens triste, mais se développe en moi la croyance qu'un jour je réaliserai mon rêve, à condition d'avoir le courage d'affronter cette situation difficile. » Le traumatisme devient alors un nouvel organisateur du moi autour duquel les efforts et les rêves construisent une curieuse mentalité. Le développement n'est plus normal puisqu'il y a eu une catastrophe. Parfois la personnalité s'oriente vers une psychopathie ou une dépression récidivante. Mais souvent on note un néodéveloppement avec, dans l'âme, la rage d'un compte à régler et la fascination pour les événements qui

---

25. Masten A. S., « Ordinary magic : Resilience processes in development », *American Psychologist*, 2001, 56, p. 227-238.

évoquent la blessure passée. On remarque l'apparition d'une étrange valeur, un courage morbide qui donne sens à la souffrance et la transcende, tant le blessé a besoin de penser à des jours meilleurs.

Paulin avait été un petit garçon vif, drôle et parfois capricieux, jusqu'au jour où des soldats allemands étaient entrés dans son village dans le Sud-Ouest de la France. Pas de cris, pas de violence, pas même de bousculade. Simplement sa mère avait disparu! Un voisin avait envoyé au commissariat une lettre de dénonciation parce qu'elle avait apporté de la nourriture à des maquisards. Elle avait disparu comme ça, sans violence et, à partir de ce jour, les bruits, les mots et les activités qui entouraient l'enfant n'étaient plus les mêmes.

Le père de Paulin était un homme effacé. Son enfance carencée lui avait donné une mauvaise estime de soi, et sa femme avait tout aggravé en le méprisant. Longtemps après la guerre, cet homme s'étonnait encore du changement radical de l'état d'esprit de son garçon. Il disait : « Pendant dix ans, ma femme ne m'a considéré que pour l'argent que je rapportais. Quand je me couchais le soir, elle n'avait fait que sa moitié de lit. Je travaillais toute la journée et elle ne faisait aucune course pour moi. Elle ne me disait jamais bonjour. Le dimanche, quand je demandais à Paulin de venir se promener avec moi, il continuait à jouer et ne répondait même pas. » Deux jours après l'arrestation de sa mère, Paulin disait bonjour, surveillait sa petite sœur et questionnait son père sur son travail et son enfance. Cet homme a dit : « Mon fils a découvert son père depuis qu'il a perdu sa mère. »

Paulin ne se sentait pas mal dans sa nouvelle tristesse. À l'époque où il était insouciant, il lui suffisait d'affronter sa mère et d'ignorer son père. Mais cette joie était crispante. Elle finissait même par devenir désagréable par ses échanges coléreux avec sa mère et son indifférence pour l'ombre triste que parfois il appelait « Papa ». Tout de suite après la disparition de sa mère, l'enveloppe sensorielle qui entourait l'enfant s'était modifiée. L'image paternelle était sortie de la brume, et Paulin, devenu soucieux, calmait son malaise en s'occupant du foyer. Désormais, c'est l'enfant qui gouvernait un monde où s'associaient la tristesse et le plaisir.

La maturation posttraumatique est fréquente[26]. C'est presque une règle de constater qu'après un trauma une personne blessée se trouve devant deux voies : l'hébétude psychique qui définit l'antirésilience car elle empêche de reprendre un néodéveloppement, ou la maturation posttraumatique qui associe la tristesse avec le plaisir. Quand les enfants comprennent qu'une maladie grave va les emporter, ils mûrissent en quelques jours, ils deviennent graves, tendres et une douce gaieté les rend agréables à aimer. Cette maturation correspond à la nostalgie de quelqu'un qui aime encore la vie qu'il va perdre.

La pensée facile consiste à se dire que lorsqu'on est blessé on devient malheureux, donc si l'on n'est pas malheureux, c'est qu'on n'a pas été blessé. On a beau répéter que s'il est vrai que toutes les vaches sont des mammifères, il n'est pourtant pas vrai que tous les mammifères sont des vaches, cette pensée réflexe nous piège encore. On croit que si l'on est très malheureux, c'est que la cause de notre

---

26. Wyman P., Cowen E. L., Work W. C., Kerley J. H., « The role of children's future expectations in self-system functioning and adjustment of life stress : A prospective study of urban at-risk children », *Development and Psychopathology*, 1993, 5, p. 649-661.

malheur est énorme, tandis qu'une cause de rien du tout ne devrait provoquer qu'un tout petit chagrin.

En fait, la disparition de la mère de Paulin avait déchiré l'entourage affectif de l'enfant, un vrai traumatisme. Le petit garçon a pu remanier son sentiment de soi, en s'attachant au père enfin sorti de l'ombre. Quand Paulin faisait le ménage avec frénésie, il éprouvait l'effet tranquillisant de l'action et le plaisir de se voir comme une personne volontaire et responsable. Il découvrait dans son malheur la présence sécurisante de son père[27] jusqu'alors inconnu. Il éprouvait une fierté secrète à s'occuper de la maison et à entourer sa petite sœur. Certains adultes admiraient l'enfant soudain grandi, alors que d'autres interprétaient sa réaction comme une preuve d'indifférence.

Une réflexion systémique invite à penser que l'enfant a été réellement traumatisé, mais que son père a constitué une nouvelle base de sécurité. On a admiré le grand garçon, on s'est demandé comment il avait pu surmonter tout ça, on a parlé de résilience et puis soudain le héros s'est effondré dans une dépression d'épuisement[28].

Le trauma fracasse, c'est sa définition. Et la résilience qui permet de se remettre à vivre associe la souffrance avec le plaisir d'en triompher. Curieux couple !

27. Luthar S. S. (éd.), *Resilience and Vulnerability : Adaptation in the Context of Childhood Adversities*, New York, Cambridge University Press, 2003.
28. Truchot D., *Épuisement professionnel et Burn-out. Concepts, modèles, interventions*, Paris, Dunod, p. 42, 2004.

Tout trauma est une relation perverse

Triompher d'une souffrance infligée par la nature nécessite un soutien affectif et un sens attribué au fracas par les récits familiaux et culturels. Alors, vous pensez bien que triompher d'une souffrance infligée par d'autres hommes entraîne un travail de récits encore plus compliqué puisque non seulement on doit surmonter le réel de la blessure, mais en plus il faudra trouver un sens à l'intention de l'autre, à son désir de nous détruire. Lors d'une agression intentionnelle, on éprouve le besoin de reprendre la maîtrise des événements afin de redonner au monde une nouvelle cohérence. Dans le réel c'est trop tard, le mal est fait. Mais, dans la représentation des événements passés et dans la rêverie des aspirations à réaliser, un remaniement est nécessaire. C'est pourquoi les questions qui suivent une catastrophe sont toujours les mêmes :

• Que s'est-il passé ? Quand une bombe explose dans l'autobus qui vous emmène chaque jour au travail, toute représentation est impossible.

• Est-ce que je suis vivant ? Dans un contexte en paix une telle question est absurde. Mais quand la route que vous prenez chaque matin est soudain transformée en cratère et que des morceaux de corps trempent dans l'huile et dans la boue, c'est le fait d'être vivant qui est anormal.

• Est-ce que ça va recommencer ? Et c'est à l'autre, à celui qui n'était pas là au moment de l'explosion, de répondre à ces questions pour amorcer un soutien sécurisant : « Oui, vous êtes bien vivant, j'en témoigne... nous avons tout vu puisque nous étions extérieurs au trauma. Nous pouvons vous dire ce qui s'est passé, puisque nous n'étions pas là, au cœur de l'impensable. »

Le sujet blessé repart de zéro, mais dans une autre direction : « Je me suis sortie indemne de cet enfer... Peut-être que je suis devenue folle sans que je m'en aperçoive... C'est vous qui pouvez me le dire... Je ne parle jamais de tout cela à mon entourage... Toutes ces tortures m'ont transformée[29]. »

D'emblée, un trauma humain est une relation. Lors d'une catastrophe naturelle, il faut comprendre pourquoi le volcan a explosé, pourquoi la terre a tremblé : « Les dieux étaient courroucés, ils ont voulu nous punir d'une faute dont nous n'avions pas conscience. Une série d'offrandes ou de cérémonies expiatoires devrait calmer leur colère et nous permettre de reprendre notre existence comme avant ! » Mais dans une catastrophe interhumaine le blessé, le torturé est bien obligé d'admettre : « C'est moi, c'est ma personne, ma famille qu'il a voulu faire exploser, déculturer[30], chasser de la condition humaine. » Il faut donc analyser la personnalité du blessé afin d'évaluer les braises de résilience qui fonctionnent encore en lui, mais il faut aussi étudier la personnalité de l'agresseur afin de comprendre ce qui s'est mis en place dans cette relation. « L'armée de son pays a détruit ma famille simplement parce que nous étions sur terre... Il n'a pas hésité à me faire souffrir, simplement pour jouir quelques secondes... Il faut que je m'enfuie ou que je m'engage pour le combattre. Il faut que je comprenne comment un homme peut en arriver

---

29. Sironi F., « Traumatismes intentionnels et psychothérapie », *in* F. Marty (dir.), *Figures et traitements du traumatisme*, Paris, Dunod, 2001, p. 136.
30. Nathan T., *L'influence qui guérit*, Paris, Odile Jacob, 1994.

à profiter de mon corps, à détruire mon âme pour son petit plaisir. » Être traumatisé après une grêle qui détruit la récolte et nous condamne à la famine n'induit pas les mêmes représentations qu'un groupe humain qui nous torture pour nous chasser de l'humanité. La structure du trauma participe au sens qu'on lui attribue.

Mais il n'est pas question d'établir une relation dose-effet. On ne peut pas dire que plus le fracas est grand, plus les effets psychiques seront graves. Il vaut mieux penser que la structure du fracasseur passe une transaction avec la structure du fracassé. La probabilité d'apparition de troubles sera d'autant plus grande que le traumatisme est interhumain, intentionnel et durable. La structure du fracassé a son mot à dire. S'il s'agit d'un enfant, un trauma insidieux provoquera un traumatisme développemental, blessure invisible qui rend la personne hypersensible à un type d'événement : « Je ne sais pas pourquoi, toute maltraitance me touche d'une manière insupportable. » Il arrive que ces personnes s'effondrent pour une agression apparemment minime, à laquelle leur développement les a rendues particulièrement sensibles. Elles n'ont pas acquis la confiance en soi de ceux qui, après la blessure, ont été entourés. Souvent même, le discours culturel a aggravé la déchirure en les stigmatisant : « Les orphelins ont moins de valeur que les enfants qui ont une famille...

Les Tutsis chassés de chez eux sont des cancrelats. » Les réfugiés qui ne peuvent que fuir, les peuples persécutés qui survivent dans les camps se résignent à subir le mépris des enracinés qui aggrave leur déshumanisation. Pour ces gens chassés de toute culture et de tout territoire, l'action possède un effet de résilience plus efficace qu'une aide verbale. Peu importe le discours, même s'il est stupide, les déracinés s'en saisiront s'il propose une action revalorisante. Après le tremblement de terre de Parnitha en Grèce, un grand nombre de blessés et de réfugiés ont refusé toute aide verbale alors qu'ils ont accepté n'importe quel engagement actif[31].

L'épouvantail mélancolique

Ishmaël, enfant soldat du Sierra Leone, a dû s'enfuir dans la forêt afin d'échapper aux rebelles. La solitude l'angoisse : « Ce qui est insupportable quand vous êtes seul, c'est que vous pensez trop... Je décidais d'ignorer toute pensée qui me venait en tête parce qu'elle amenait trop de tristesse[32]. » Quand le trauma est encore vivant, il fixe dans la mémoire les images terrifiantes qui préparent un syndrome psychotraumatique. Afin d'en empêcher le retour, le petit Ishmaël âgé de douze ans s'occupait sans cesse, cherchait des fruits, marchait sans but, entrelaçait des branches pour se faire un lit, alors il se sentait mieux. Cette adaptation qui maîtrise la souffrance est plus proche du déni que de la résilience. Éviter la pensée pour empêcher la fixation des images traumatiques dans la mémoire est une défense qui ne déclenche pas la résilience. Douze ans plus tard, Ishmaël, aujourd'hui brillant étudiant à New York, peut affronter son passé et laisser revenir les images de ter-

---

31. Livanou M., Kasvikis Y., Basoğlu M., Mytskidou P., Sotiropoulov V., Spanea E., Mitsopoulou T., Voutsa N., *European Psychiatry*, Elsevier, 2005, 20, p. 137-144.
32. Beah I., *A Long Way Gone*, Londres, Fourth Estate, 2006, p. 52 ; traduction française : *Le Chemin parcouru*, Paris, Presses de la Cité, 2008.

reur. Aujourd'hui, il peut les penser, en faire un engagement politique et littéraire parce qu'il est entouré par une
famille d'accueil sécurisante et parce que sa nouvelle
culture lui demande de donner un sens à son fracas passé.
Là, on peut parler d'un processus de résilience.

« Une des plus grandes chances que l'on puisse avoir
dans la vie est de n'avoir pas été heureux dans son
enfance [33]. » L'auteur de cette phrase, un grand nom de la
sociologie, pendant longtemps ne voulait plus entendre
parler de la Roumanie, son pays natal où les juifs étaient
constamment persécutés. Comme le petit Africain, le petit
Roumain n'a pu affronter sa déchirure passée et en faire un
travail utile aux autres qu'après avoir été sécurisé et renforcé. C'est pourquoi le coping, l'affrontement dans l'instant, n'est pas prédictif de la résilience. On peut affronter
une épreuve, bien s'en protéger et puis s'effondrer plus tard
sans avoir fait œuvre utile. À l'inverse, il n'est pas rare de
souffrir et de paniquer dans le face-à-face avec l'agresseur
puis, une fois sécurisé et remis de l'agression, chercher à
comprendre l'effondrement afin d'empêcher la récidive et
de métamorphoser la souffrance.

Les enfants agressés ou anéantis par la privation affective éprouvent dans un premier temps « un corps émietté,
éclaté, allant jusqu'au vide corporel [34] ». Mais certains « uti-
lisent massivement leur vie fantasmatique pour revivre de
façon érotisée leur vécu traumatique, pour inventer des
scénarios idéalisés qui servent de "refuge"... [35] ». Le déni, ce

33. Moscovici S., *Chronique des années égarées*, Paris, Stock, 1997.
34. Condamin C., « Corps démembré, corps supplicié, corps massacré. Altéra-
tion de l'image du corps au Rorschach chez les enfants et adolescents victimes
d'agression », *Champ psychosomatique*, 2006, 41, p. 129-142.
35. Condamin C., *op. cit.*

refus des souvenirs, protège de la souffrance, alors que le refuge dans la rêverie est un réinvestissement narcissique qui nourrit la créativité des blessés, la « narcissisation... nécessaire au fonctionnement du Moi [36] ».

Vo-Vanh avait sept ans quand son père a été tué à Diên Biên Phu au cours de l'incroyable victoire vietnamienne contre les Français. Quelques années plus tard, sa mère a disparu lors d'un bombardement américain. Vo-Vanh fut recueilli dans une institution où tout le monde parlait avec admiration de ses deux parents. Le petit orphelin se sentait enfant de héros et tout allait très bien jusqu'au jour où un éducateur a sexuellement profité de lui. En quelques jours, le monde intime de l'enfant est devenu noir et d'autant plus douloureux qu'il était contraint à garder secrètes les agressions sexuelles nocturnes. Vo-Vanh se mit à douter de la réalité de son corps et notamment de certaines parties de son organisme : « Je ne suis pas certain d'avoir un bras gauche... peut-être même je n'ai pas de tête... on me dit que j'ai un estomac, mais j'ai l'impression de ne pas en avoir, je n'ai jamais faim... mon cœur n'existe plus, je deviens indifférent... » Ce sentiment de corps éclaté, émietté, entraînait des réactions comportementales curieuses. Vo-Vanh vérifiait que son bras gauche existait en le coupant avec des éclats de verre. Il se scarifiait le visage et la brûlure de la coupure, le sang qui en coulait le rassuraient étrangement : « Je suis vivant puisque je souffre ! » Sous l'effet de la douleur son corps redevenait entier. Chaque soir en s'endormant l'enfant éprouvait du plaisir à se laisser aller à de curieuses rêveries : il se mettait en scène devant un tri-

---

36. Green A., *Narcissisme de vie. Narcissisme de mort*, Paris, Éditions de Minuit, 1983, p. 104.

bunal qui l'accusait de crimes. Alors, il éprouvait un délicieux apaisement en imaginant que ses réponses désarmaient la sévérité des juges. Il pouvait enfin plaider son innocence. De phrase en phrase, les inquisiteurs devenaient moins cruels jusqu'au moment où ils énonçaient un jugement qui disculpait l'enfant : « Ce n'est pas ta faute », reconnaissaient-ils du haut de leur tribunal imaginaire. Le courage de l'enfant face à la souffrance et à la cour des juges avait transformé la cruauté des adultes en relation amicale. Vo-Vanh ne se sentait plus souillé, il était même lavé par la sentence qui le réhabilitait.

Beaucoup d'enfants massacrés se sortent du chaos corporel ou du vide mélancolique grâce à de telles stratégies masochiques. Un tel chemin de résilience se met en place quand on laisse l'enfant blessé se débattre tout seul dans des circonstances adverses. La majorité non résiliente s'oriente vers une extinction psychique et un délabrement physique mais quelques-uns découvrent la stratégie masochique qui réunifie les morceaux du corps, lutte contre le vide mélancolique grâce à une créativité douloureuse et permet de mériter une place dans la société, après avoir été disculpé par un tribunal des fantasmes.

L'entourage peut empêcher de se sentir épouvantail

Le chemin de résilience n'est pas toujours aussi coûteux [37]. Quand l'entourage sécurise l'enfant et que la culture propose d'autres modèles de développement, le processus

---

37. Hanus M., *La Résilience à quel prix ? Survivre et rebondir*, Paris, Maloine, 2001.

résilient peut se passer de la souffrance[38], la défense masochique n'est pas obligatoire. Henri est un petit Belge âgé de
onze ans quand la Seconde Guerre mondiale détruit sa
famille et son enfance. Il ne lui reste que sa mère avec
laquelle il s'enfuit en France. Ils sont arrêtés et emprisonnés à Rivesaltes près de Perpignan. À l'intérieur du camp
où étaient enfermés les républicains espagnols, il y avait
une autre prison où l'on faisait mourir les juifs. L'enfant
parvient à s'évader, mais sa mère disparaît à Auschwitz.
Henri est recueilli par une institution juive basée à Saint-
Raphaël dans le Var qui rassemble quarante-neuf enfants
et les oriente vers les États-Unis. Ils ont presque tous repris
un développement résilient qui n'a pas eu besoin de la stratégie masochique. Henri est actuellement professeur de
psychiatrie au Jefferson Hospital à Philadelphie[39]. Sa trajectoire résiliente a été moins coûteuse et plus harmo-
nieuse que celle de nombre de ses petits compagnons blessés. Deux raisons expliquent sa résilience aisée : sa mère
avait imprégné dans sa mémoire un attachement sécure et
son entourage de substitution, après le trauma, a su lui
proposer un milieu non stigmatisant.

Un barème de traumatismes est donc impossible
puisque ce qui donne la force d'affronter, c'est la confiance
acquise avant le trauma. Et ce qui impulse la résilience,
c'est la sécurisation affective et le sens qu'un travail verbal
donnera au traumatisme, après le coup.

Même quand l'horreur est extrême, le sens qu'on
donne au fait parvient à métamorphoser les sentiments
qu'on éprouve. En Israël, un groupe de juifs religieux,

---

38. Parens H., *Renewal of Life. Healing from the Holocaust*, Rockeville, Maryland, Schreiber Publishing, 2004.
39. *Idem.*

Zaka[40], s'est proposé pour ramasser les restes de voyageurs d'autobus ou de clients de restaurants déchiquetés par un attentat. On voit souvent ces hommes pittoresques ramasser des morceaux de chair humaine ou des segments de membres et en remplir des sacs plastique afin que l'âme puisse elle aussi se recomposer. Dans d'autres guerres, les sauveteurs souffrent beaucoup de traumatismes par compassion[41], on peut donc faire l'hypothèse que ces religieux prennent un grand risque de souffrances posttraumatiques. L'odeur, la boue, le fuel, les morceaux de membres d'adultes et d'enfants empêchent le déni qui évite l'émotion. Une enquête sociologique et psychologique d'une petite centaine d'hommes a été associée avec une analyse des mécanismes de coping[42] : en pleine épreuve, la recherche de soutien social, l'humour, le déni, la foi et l'action ont été considérés comme des facteurs fiables de résistance. La plupart de ces sauveteurs avaient déjà connu une telle expérience (80 %), subi des attentats eux-mêmes (51 %) ou dans leurs familles (11,5 %). Malgré ces situations de vulnérabilité objective, la plupart de ces hommes n'ont ressenti aucun danger (91 %), alors que quelques-uns seulement devenaient très inquiets (2,3 %). Dans l'ensemble, ils ont souffert de moins de troubles posttraumatiques que la population israélienne[43]. Pourtant, dans

---

40. Zaka : initiales en hébreux pour « identification des victimes d'un désastre ».
41. Danieli Y. (éd.), *Sharing the Front Line and the Back Hells : International Protectors and Providers, Peace Keepers, Humanitarian Aid Workers and the Media in the Midst of Crisis*, New York, Baywood Compagny, Inc., Amityville (NY), 2002.
42. Solomon Z., Berger R., *Coping with the Aftermath of Terror. Resilience of Zaka Body Handlers*, Adler Research Center, Tel Aviv University, 2002.
43. Bleich A., Gelkof M., Solomon Z., « Exposure to terrorism, stress-related mental health symptoms and coping behaviors among a nationally representative sample in Israel », *JAMA*, 2003, 290 (5), p. 612-690.

les années suivantes, un grand nombre d'entre eux avait changé de style d'existence (59 %). Ils étaient devenus particulièrement sensibles aux actes terroristes, appelaient plus souvent Dieu à leur aide et se sentaient encore plus soudés et plus motivés à ramasser les restes humains. Seuls 2 % ont souffert alors que, dans les autres populations de sauveteurs, les troubles posttraumatiques sont nettement plus élevés.

Tous ces travaux orientent vers la conclusion que le terrorisme provoque des résultats contraires à ceux qu'il escompte : il soude les agressés et renforce leur motivation, sans compter qu'il légitime une contre-violence. Ce phénomène psychosocial explique probablement la complicité des extrêmes qui, en s'opposant, se renforcent mutuellement et radicalisent leurs politiques.

Il n'est pas nécessaire d'être gai pour avoir de l'humour

Un stéréotype incite à penser que les religieux sont tristes. Or ces juifs de Zaka au milieu de l'horreur manifestent un humour déconcertant. Certains observateurs en sont choqués car, pour eux, la gaieté lors d'un drame est une obscénité. Pourtant toutes les enquêtes sur les critères de résilience soulignent que l'humour est très protecteur. Il n'est pas dit qu'il soit nécessaire d'être gai pour avoir de l'humour. Selon Freud, « l'humour consiste à présenter une situation traumatisante de manière à en dégager les aspects plaisants, ironiques, insolites[44] ». Cette réaction

---

44. Ionescu S., Jacquet M. M., Lhote C., *Les Mécanismes de défense. Théorie et clinique*, Paris, Nathan Université, 1997, p. 183.

déconcerte car, en décentrant le sujet de sa fascination par l'horreur, il le dégage de la souffrance et remanie les images de cauchemar. Cette stratégie psychologique est donc proche des mécanismes de défense décrits par la psychanalyse.

Aucun examen prénatal n'avait pu dépister la trisomie du bébé. Le choc fut terrible, et la mère atterrée ne pouvait même pas pleurer. Le foyer devint silencieux. Tout le monde souffrait sans dire un mot, on ne s'activait que pour assurer les besoins quotidiens. Cinq mois plus tard, un petit-cousin vient rendre visite avec ses parents et, voyant le bébé, s'adresse à la mère : « Il paraît qu'un mongolien est arrivé dans votre famille. Dans mon école, c'est une Chinoise qui est arrivée. C'est tous des yeux bridés, ça[45]. » Les parents essayèrent de faire taire l'enfant, mais les mots étaient partis, c'était trop tard. La mère du petit handicapé éclata de rire sous l'effet de l'humour involontaire de l'enfant qui, en associant l'image d'un trisomique avec celle d'une jolie Chinoise, avait donné une représentation inattendue. Pour la première fois depuis sa naissance, le bébé handicapé avait vu un sourire.

D'autres expériences nous ont appris la puissance organisatrice d'un échange de sourires[46]. Elles nous invitent à penser que cette phrase pleine d'humour, dans un milieu abattu par la douleur, avait suscité une transaction affective entre la mère et son enfant handicapé. L'humour en tant que facteur de résilience ne veut pas dire se moquer de la victime ou ridiculiser sa souffrance. Le

---

45. Scelles R., *Le Processus de résilience dans des familles ayant un enfant porteur d'un handicap*, Paris, Dunod, 2007, p. 180.
46. Spitz R. A., *Le Non et le Oui. La genèse de la communication humaine*, Paris, PUF, 1962.

décalage surprenant d'une représentation douloureuse entraîne le blessé à mettre un peu de légèreté dans le poids de sa vie, à voir les choses autrement, à remanier la représentation. Ça ne change pas la blessure, le bébé restera trisomique, mais désormais il vivra dans un milieu plus léger où la réapparition des sourires tutorisera ses développements. C'est en ce sens que l'on peut dire que l'humour participe à la résilience. Le fait de partager un sourire provoque un effet de connivence affective, un petit chemin vers l'intimité où le bébé apprend à aller vers les autres.

Il ne s'agit donc pas d'un procédé comique qui caricature en hypertrophiant quelques traits dont il fait des supersignaux. Quand un philosophe fait un exposé pompeux avec sa braguette ouverte à tous les vents, la gravité de ce qu'il dit est contredite par sa braguette. Cette opposition déclenche un effet comique qui ridiculise l'orateur. Dans l'humour, c'est un simple décalage, un changement inattendu de représentation qui provoque un effet de poésie plutôt que de caricature. Quand le petit-cousin a associé la représentation du bébé trisomique avec la petite Chinoise, le dérapage était dépourvu de méchanceté. Pourtant, ce petit glissement sémantique a non seulement allégé le poids de la souffrance, mais, en plus, il a proposé un sens. Pour faire cesser le rire comique, il a suffi que le philosophe pompeux ferme sa braguette, alors que le mot d'humour du petit-cousin a suggéré qu'il était possible d'envisager le malheur autrement. La surprise du changement prouve qu'une évolution est possible : un espoir vient de naître. La rébellion de l'humour entrouvre la prison du traumatisme.

Le non-partage de l'humour révèle la distance affective de celui qui ne rit pas. Les dictateurs qui pensent qu'on doit se soumettre intégralement à leurs théories n'ont pas le sens de l'humour. Dans une telle relation, la connivence affective s'établit entre ceux qui rient de la même histoire parce qu'elle agresse ceux qui n'en rient pas. À Ljubljana, quand je me suis étonné de voir des bustes de Napoléon aux carrefours et dans les jardins, la traductrice qui m'accompagnait m'a expliqué que les Slovènes le vénéraient parce qu'il avait préservé leur langue. J'ai beaucoup aimé la beauté de la ville, la hardiesse des couleurs et le mélange des bulbes autrichiens et des chapiteaux italiens, aussi ai-je été surpris de longer un gros immeuble patapouf avec des murs plats percés de nombreuses fenêtres. Quand la guide m'a dit que c'était la prison, je me suis étonné du nombre de fenêtres et de portes non gardées donnant sur la rue. La jeune femme m'a alors répondu : « Sous l'Ancien Régime, ce n'était pas la peine de surveiller les prisons puisqu'il y avait plus de liberté à l'intérieur qu'au-dehors. »

Sans être tyrannique, il n'est pas rare que dans une institution l'humour ne soit pas partagé. À l'hôpital, les médecins rient entre eux, mais pas avec les malades. Dans l'école ancienne, les professeurs se crispaient quand un enfant les taquinait, et j'ai entendu récemment plusieurs enseignants exiger que leurs étudiants « rengainent leurs sourires », ce qui est bien la preuve qu'ils les ressentaient comme une arme dirigée contre eux et non comme une incitation à la complicité.

Dans l'école actuelle, beaucoup d'enseignants ne ressentent plus comme un blasphème le trait d'humour d'un enfant, souvent même ils en jouent avec lui. Il arrive qu'un enfant malheureux trouve à l'école un terrain de jeux, avec les autres écoliers pour spectateurs de leur petit théâtre. Cette stratégie de socialisation leur permet d'éviter l'étiquette de « victime » et la commisération des adultes. Ils parviennent ainsi à tisser avec leurs pairs des liens d'affection et d'estime.

Le petit Ludo était malheureux chez lui entre une mère alcoolique et un père « qui avait la ceinture facile[47] ». L'école était le seul moment de beauté, le seul endroit où on lui parlait gentiment. Il faisait tellement rire ses copains de classe que son instituteur l'a orienté vers un groupe théâtral. Aujourd'hui, Ludo devenu instituteur à son tour explique que si son professeur l'avait fait taire il aurait supprimé son plus précieux facteur de résilience. Il l'aurait maintenu dans un monde où il n'y avait que l'alcool, la tristesse et les coups de ceinture.

Le bouc émissaire, thérapeute toxique

Quand un enfant est prisonnier de son bourreau, il a une probabilité d'acquérir un attachement évitant ou confus qui dépasse 90 % au lieu de 20 % dans la population générale. Mais il suffit qu'il rencontre une seule personne à aimer, une seule relation joyeuse pour que ce chiffre devienne inférieur à 60 %[48]. Dans un contexte de souffrance, le moindre signe d'humanité est surinvesti parce qu'il fait naître l'espoir qui permet de supporter les circonstances adverses. L'hostilité du monde n'est plus implacable, une petite lumière vient de s'allumer.

---

47. Anaut M., *Humour et résilience à l'école*, in B. Cyrulnik et J.-P. Pourtois (dir.), *École et résilience*, Paris, Odile Jacob, 2007, p. 327-356.
48. Tarabulsy G. M., Hémond I., « Inhibition comportementale, l'attachement et la genèse de troubles anxieux durant l'enfance », in E. Habimana, L. S., Ethier, D. Petot, M. Tousignant, *Psychopathologie de l'enfant et de l'adolescent*, Montréal, Gaétan Morin, 1994.

C'est pourquoi, dans les catastrophes interhumaines, tout signe d'humanité prend une signification énorme : une tasse de café offerte en temps de guerre n'a pas du tout le même impact affectif que la même tasse en temps de paix. L'étincelle de résilience dépend beaucoup de l'organisation du milieu qui non seulement relance la vie, mais encore lui donne une direction. Un blessé peut rester en agonie toute sa vie s'il ne rencontre personne. Il peut aussi apprendre à haïr ou à chercher dans l'entourage le moindre indice qui fait craindre la récidive. Souvent, il devient attentif au plus petit signe de tendresse ou d'humanité apparu chez l'agresseur.

Il arrive qu'un blessé érotise la catastrophe rela-tionnelle, seul événement qui lui donne la sensation d'exister. Mais, dans une situation de catastrophe, qu'elle soit naturelle ou humaine, le moyen le plus efficace de préserver son estime de soi, c'est de trouver dans son entourage un bouc émissaire[49]. C'est le moyen de défense le plus archaïque quand la culture n'aide pas à reprendre possession de ses moyens et à donner sens à la blessure.

Après que le fracas nous a sidéré, après que nous avons rencontré des sauveteurs qui nous ont confirmé que nous étions vivant, il faut bien redonner cohérence à ce qui s'est passé si nous voulons que notre existence retrou-ve une direction. C'est pourquoi l'on voit souvent les bles-sés de l'âme revenir sur le lieu de la tragédie et fouiller les décombres afin d'y retrouver un indice de leur passé : « J'avais donc une famille puisque je retrouve une photo... J'étais donc bachelier puisque je ramasse le cadre cassé

---

49. Dans la Bible, Aaron sait que le bouc est un innocent chargé de tous les péchés. Quand certains croient qu'il est réellement coupable cela provoque la res-cousse de ceux qui expliquent que c'est une victime innocente.

qui entourait le diplôme... Moi aussi j'avais une maman avant la guerre. J'étais normal, comme les autres.» Retrouver les indices de son passé, c'est recoller les morceaux du moi brisé.

Quand l'entourage est lui aussi détruit, il ne peut pas nous dire ce qui est arrivé. Quand les récits d'alentour nous font taire en affirmant qu'il ne s'est rien passé, le blessé reste hébété. Il s'en tire en supprimant le chapitre de son histoire que les autres ne supportent pas. Il s'adapte au silence qu'on lui impose en engourdissant une partie de son âme. Mais il n'est pas rare qu'il découvre un mécanisme de défense archaïque : la sorcellerie ! Toutes les cultures témoignent de ce procédé explicatif découvert par ceux qu'on abandonne à l'incompréhension de leurs souffrances. Au Moyen Âge, on expliquait la maladie par la punition divine. On pensait que tant de malheurs ne pouvaient venir que d'un jeteur de sort. L'explication par le mauvais œil donnait une cohérence à la peur impensable et permettait de sortir du non-sens. Aujourd'hui, l'explication des tragédies par une force occulte est amplifiée par les prouesses techniques. Cette défense archaïque qui protège le blessé empêche la résilience puisqu'elle favorise la formation de clans qui préparent la guerre. Comme pour tous les mécanismes de défense, les bénéfices adaptatifs immédiats sont tellement importants et si faciles à obtenir que beaucoup de malheureux ont tendance à s'y réfugier.

Lors des inondations de la Somme en 2001, les gens ne parvenaient pas à comprendre comment leur douce campagne avait pu se transformer en lieu de tragédie. Chacun errait comme il pouvait, en barque, à pied ou sur les toits, pour trouver une aide. Rien à faire, rien à comprendre, non-sens, agonie psychique. Lorsque soudain une lumière est apparue : c'est le gouvernement qui avait détourné les eaux en crue de la Seine pour protéger les Parisiens ! Lionel Jospin, alors Premier ministre, était stupéfait d'entendre les sinistrés lui reprocher ce complot. Il bégayait pour répondre à cette absurdité parce qu'il cherchait des arguments raisonnables. Il ne pouvait pas comprendre que les malheureux se sentaient mieux depuis qu'ils avaient trouvé une raison au non-sens. Ils se regroupaient pour accumuler les arguments qui renforçaient la rumeur, ils se parlaient et s'indignaient tous ensemble. Ils parvenaient ainsi à constituer un semblant d'identité de groupe victime des inondations. La rumeur leur servait à rassembler les morceaux du moi dilué par les eaux : « Nous les noyés, nous allons dire au Premier ministre que nous avons découvert la vérité. On ne nous leurre pas facilement, nous. Et nous allons exiger des réparations pour cette faute intentionnelle. » Le sens archaïque légitimait un acte de résistance qui redonnait un peu d'estime aux malheureux. Ils se sentaient mieux grâce à cette défense rudimentaire. Mais, plus tard, ils ont découvert que cette protection était un repli sur soi qui les avait coupés de la société goguenarde.

Fonction culturelle du délire logique

Quand les blessés ne sont pas entourés, les mécanismes interprétatifs après une catastrophe suivent toujours le même schéma. Qu'il s'agisse d'une inondation, de l'irruption d'un volcan ou d'une torture psychique, la réaction est paranoïde : « Quelqu'un nous persécute... on nous cache le nombre réel de morts... On a intérêt à nous faire du mal, à nous qui sommes innocents... C'est une force surnaturelle qui a raison de notre pureté. Pour mieux nous défendre nous devons découvrir les clefs cachées, les intentions occultes, l'entité secrète qui gouverne cette injuste agression. » D'ailleurs, les traumatisés expliquent souvent qu'ils avaient comme « un pressentiment, quelques rêves prémonitoires, des sortes d'indices vus à la télévision[50] ». « Cette réaction de défense par la pensée magique est la règle chez tous les torturés[51]. » Quand on est abandonné, c'est le seul moyen qui vient à l'esprit pour redonner un peu de sens au monde chamboulé et remettre de l'ordre dans nos perceptions égarées. Toute explication permet de se réorganiser afin de réparer la blessure et d'agresser ceux qui nous ont voulu tant de mal. Le délire logique nous soulage et ordonne les groupes d'auto-défense. Le clan protecteur déculpabilise, la rumeur préserve l'estime de soi, et parfois même la secte ou le parti politique extrémiste proposent des programmes d'actions dites « défensives » : « Le gouvernement nous sacrifie pour protéger les Parisiens... L'eau est empoisonnée par la communauté étrange qui habite près de chez nous... il faut purifier notre société et éliminer ceux qui la souillent. » Le délire logique apporte un énorme bénéfice immédiat, très protecteur mais certainement pas résilient puisqu'il prépare d'autres traumatismes. '

La contrainte à donner un sens même délirant pour ne plus se sentir perdu a été utilisée par tous les groupes

---

50. Phrases souvent entendues lors de l'analyse des bandes d'appel aux pompiers. Communication personnelle, Ludvina Colbeau-Justin, *Nature et résilience*.
51. Sironi F., *Bourreaux et victimes*, Paris, Odile Jacob, 1999, p. 138.

en détresse. Au xıᵉ siècle une révolution technologique avait incroyablement amélioré les conditions d'existence des Européens. La découverte du moulin à vent avait permis de transformer les graines en farine et de la stocker pour l'hiver. En quelques années la famine a disparu, la mort des enfants a régressé, la vie est devenue moins angoissante, et les rats ont prospéré dans cette écologie de cocagne que les hommes venaient de leur offrir. Les rongeurs étaient d'autant plus heureux qu'à cette époque les chats rapportés du Proche-Orient par les croisés étaient chassés des maisons parce qu'ils représentaient les Arabes. La preuve, c'est qu'ils étaient noirs et que parfois, comme les siamois, ils avaient la gueule brûlée aux feux de l'enfer. Il leur fallut presque un siècle pour être réhabilités par les moines[52].

L'ordre culturel régnait en persécutant les chats et en cocoonant les rats, si bien qu'en deux années (1348-1350) la peste noire fit disparaître plus de la moitié des Européens. Des villages entiers furent anéantis, et toutes les familles lourdement endeuillées. Rien n'expliquait cette terrifiante énigme. Quand le réel est fou, n'importe quelle explication peut rassurer. Un phénomène invraisemblable ne peut avoir qu'une cause invraisemblable. Alors, on a témoigné qu'on avait vu des pluies de crapauds, que des esprits invisibles avaient possédé les femmes, qu'un groupe d'étrangers avait échappé à la mort en arrachant le cœur des enfants, et que l'eau avait été empoisonnée, la preuve, c'est que tous ceux qui étaient morts en avaient bu juste avant. Pour commettre de tels crimes, il faut appartenir à

---

52. Delort R., *Les animaux ont une histoire*, Paris, Seuil, 1984, p. 333.

un groupe horrible[53], des gens pas comme nous qui ont des croyances ridicules, des rituels absurdes, des vêtements grotesques comme autant de signaux qui permettent de les repérer[54] : les juifs sont porteurs de tous ces stigmates. Les preuves deviennent évidentes, le mystère expliqué, le monde cesse d'être incohérent. On peut faire quelque chose, agir sur lui afin de rétablir la paix et le bonheur perdus : « À mort, les juifs ! » En soignant la cause, on va soigner l'effet : il suffit d'éliminer les juifs pour que l'eau redevienne potable.

Ce raisonnement est parfaitement logique puisque les causes s'articulent avec leurs effets. Il est pourtant complètement délirant puisque cette représentation cohérente n'est pas adéquate au réel. Le réel, c'est le virus de la peste véhiculé par les rats. Au xiv⁰ siècle, on ne savait pas voir cette cause, alors que les morts et les juifs, eux, capturaient les regards. Le délire logique en redonnant une cohérence au monde faisait naître l'espoir de surmonter la tragédie. Le juste courroux légitimait le passage à l'acte pour défendre les braves gens. La violence prenait sens, et la haine donnait aux malheureux le doux plaisir d'être unis dans l'épreuve. « Nous nous aimons, nous protégeons les innocents, nous défendons une juste cause, ce qui légitime nos pogroms, nos ratonnades, nos répressions meurtrières. » Les groupes qui se protègent ainsi ne se sentent pas coupables de la violence qu'ils infligent aux autres. Au contraire même, après une virée raciste, ils sont fiers d'avoir gagné, ils s'amusent de la peur qu'ils ont inspirée, ils éprouvent un sentiment de devoir accompli puisque

53. Girard R., *Le Bouc émissaire*, Paris, Grasset/Fasquelle, 1982.
54. Morris D., *La Clé des gestes*, Paris, Grasset, 1977, p 213-221.

après avoir chassé les étrangers ils ont constaté la fin de l'épidémie.

Ce délire logique explique pourquoi le phénomène de bouc émissaire est la règle d'un groupe humain qui se sent en danger. Les « textes de persécution[55] » racontent comment les violences collectives suivent un scénario stéréotypé : avant les premiers massacres, les juifs étaient curieusement admirés. Leur prestige médical était grand, ce qui provoquait une certaine ambivalence : « Que [le juif] fasse preuve de mauvaise volonté et ce juif nous donnera la peste, qu'il fasse preuve de bonne volonté au contraire, il nous épargnera et nous guérira[56]... »

Le fait que le juif soit riche lui donne un pouvoir sur la société. S'il est médecin, savant, musicien ou philosophe, il prend un ascendant sur nos personnes. Cette influence est étrange puisque dans son histoire il a toujours été victime. Qu'a-t-il fait pour être persécuté ? Que font les femmes pour être violées ? Les victimes sont toujours un peu coupables, n'est-ce pas ? Quand elles surmontent l'épreuve, c'est qu'elles ont bénéficié de l'influence occulte que leur donne l'art du complot. La puissance des victimes est une preuve de leur pacte avec le diable.

Ce délire logique est un raisonnement implacable qui empêche la résilience des survivants : les Arméniens turcs avaient probablement pactisé en secret avec les Arméniens russes[57]. Les Tutsis survivants avaient certainement ensorcelé les Hutus pour les forcer à commettre de telles hor-

55. Girard R., *Des choses cachées, depuis la fondation du monde*, Paris, Grasset, 1978.
56. Girard R., *Le Bouc émissaire, op. cit.*, p. 63.
57. Kévorkian R., Nordiguian L., Tachjian V., *Les Arméniens. La quête d'un refuge 1917-1939*, Beyrouth, Presses de l'Université Saint-Joseph, 2007.

reurs, et si certains juifs sont revenus des camps, c'est qu'ils ont collaboré avec les nazis. Logiquement, ces victimes auraient dû mourir. Le simple fait qu'elles soient vivantes est une preuve de leur duplicité.

À l'époque où les premiers chrétiens étaient minoritaires, ils ont subi le même phénomène de délire logique. Ils étaient mal armés et n'adoraient pas l'empereur Claude. Ils furent donc accusés des crimes les plus horribles : « Les juifs chrétiens[58] », comme on les appelait, tuaient les enfants et leur arrachaient le cœur pour effectuer leurs rituels de sectes. Ils pratiquaient l'inceste et incendiaient les maisons de leurs voisins. Leur puissance invisible les rendait si monstrueux que les pires tortures étaient justifiées. Vous croyez que les chrétiens sont de pauvres gens ? Détrompez-vous, ils sont capables de posséder le monde et de nous détruire si nous ne les détruisons pas avant. Blandine a bien dompté les lions qui devaient la manger, c'est vous dire la force occulte de la « terrible superstition » de cette secte (Tacite).

Action, solidarité et rhétorique

La violence persécutrice est fondatrice d'un groupe. La haine du persécuteur cimente les persécutés et légitime leur contre-violence défensive. Le groupe adverse réagit pareillement, ce qui enclenche un processus de complicité des extrêmes où chacun renforce les survivants de l'autre groupe en cherchant à les détruire. Ce phénomène clas-

---

58. Lenoir F., Tardan-Masquelier Y. (dirs.), *Encyclopédie des religions*, Paris, Bayard, 2000, p. 380-381.

sique permet de parler de « socialisation archaïque », de
« vendetta », de « guerre de clans » et de « soumission au
passé » puisque, quelques générations plus tard, chacun
pense encore qu'il est nécessaire de détruire l'autre au
risque de sa propre destruction. Cette codestruction préserve l'identité du groupe, construit son mythe et l'aide à
prendre le pouvoir. On peut appeler ce phénomène « résistance », mais certainement pas « résilience » puisque le
passé en se répétant empêche un nouveau développement.

C'est dans la psychologie des masses que le bouc émissaire s'épanouit. « On voulait être heureux, nous, on voulait travailler, respecter Dieu et les Hommes, et voilà que le
sida infecte nos enfants ! Nous ne pouvons pas en être responsables puisque dans notre culture la famille est sacrée.
Nous n'avons jamais de sexualité en dehors du mariage. Ce
mal ne peut venir que des étrangers. Et puisque les infirmières sont bulgares, ce sont donc elles qui ont infecté nos
enfants[59]. » La logique délirante est même renforcée
quand, grâce aux interrogatoires musclés et à la torture à
l'électricité, ces femmes ont avoué que le Mossad israélien
leur avait donné les flacons de virus. Le théorème était
sauvé ! Les réactions paranoïdes des parents traumatisés
par la maladie de leurs enfants leur permettaient de penser
que les petits n'étaient pas malades à cause de leurs
frasques, mais par la faute des infirmières et d'un médecin
palestinien soudoyé par Israël.

Le plus sûr moyen d'éviter l'élevage des boucs émissaires, c'est la solidarité. Trente mille Suédois étaient en
vacances en Thaïlande, à Noël 2004, quand le tsunami a
noyé des familles entières, tué et blessé des centaines de

---

59. Valcheva K., *J'ai gardé la tête haute*, Paris, OH ! Éditions, 2007.

milliers de personnes. Dès que la catastrophe fut annoncée, le pays entier a été sous le choc. La presse et la télévision apportaient chaque jour des témoignages d'horreur. Les hôpitaux furent en alerte et les avions affrétés. Mais ils sont demeurés vides parce que les survivants voulaient rester sur place afin de retrouver les corps et d'aider les blessés. Pendant cette période incertaine, « nous avons attendu... on a cherché un coupable... on s'est demandé pourquoi... on a voulu retrouver la vie d'avant[60] ». Toutes les réactions habituelles se manifestaient de la même manière au niveau individuel et au niveau de la société. Dès que les interventions sont devenues possibles, dès que les autorités ont engagé des professionnels et des bénévoles, « le travail de comprendre et de se réconcilier avec l'incompréhensible a pu commencer... ». Il faut un acte de passage et non pas un passage à l'acte pour commencer un travail psychique[61]. La confusion traumatique a été atténuée par la confiance infantile que les blessés attribuaient à ceux qui volaient à leur secours. L'hébétude des Suédois dans leur pays à des milliers de kilomètres du Sri Lanka était provoquée par les images d'horreur incompréhensible, la préparation inutile des avions et des hôpitaux où personne ne venait et les faux remèdes de ceux qui faisaient croire qu'un traitement sur place allait tout régler. Dès que l'engagement physique et le travail verbal ont pu s'enclencher, tout le monde s'est senti mieux et « la plupart des Suédois... n'ont pas eu besoin de service de santé ou de spécialistes[62] ». C'est l'action qui a contrôlé l'émotion provoquée par la situation tragique et

---

60. Lindgren O., « Une rencontre involontaire avec le néant, gestion des crises et catastrophes en Suède », *Psy-Cause*, Draguignan, 2007, n° 44-45, p. 95.
61. Mourtada Y., cité *in* O. Lingren, *Psy-Cause, op. cit.*
62. Lingren O., *Psy-Cause, op. cit.*

c'est la réflexion qui a redonné une direction à l'existence des blessés. La culture suédoise a fait du tsunami un grave accident qui finalement a provoqué peu de troubles psychotraumatiques.

Après l'attentat terroriste de Nairobi en 1998, l'association médicale du Kenya a demandé la coopération des médias pour donner des consignes d'action et pas seulement colporter des images d'horreur. Les Kényans de Nairobi et ceux qui vivaient à l'étranger ont appris au cours de la même information qu'il y avait un désastre et qu'on pouvait l'affronter. Les secours sont rapidement arrivés sur place après l'explosion. Les familles ont beaucoup téléphoné, et dès qu'elles étaient rassurées, l'enchaînement des phrases était toujours le même :

• indignation contre les terroristes ;
• proposition de solidarité ;
• compte rendu quotidien de l'affrontement : consignes d'aide ou conseils d'abstention, témoignages, explications et débats philosophiques.

Quelques mois plus tard une enquête a évalué les troubles physiques, sociaux et psychoaffectifs provoqués par l'attentat. Les chefs de tribu coordonnaient les questionnaires[63]. Comme chez les Suédois, l'action, la solidarité et la réflexion avaient empêché l'apparition de syndromes psychotraumatiques. Mais l'agression terroriste avait renforcé la haine de la religion qui avait suscité ces crimes.

L'action, la solidarité et la rhétorique sont donc associées pour la prévention des troubles traumatiques. L'organisation sociale est nécessaire, mais la manière de parler

---

63. Otero J. C., Njenga F. G., « Lessons in post traumatic stress disorder from the past : Venezuela floods and Nairobi, bombing », *Journal Clinic Psychiatry*, 2006, 67 (sup. 2).

joue un rôle majeur dans l'évolution. Un discours clair et simple conseillant des conduites à tenir permet à la mémoire de ne plus être possédée par la tragédie passée. Cette protection nécessaire n'est pas suffisante, il faut aussi remanier la mémoire du trauma, mais dans ce cas la structure des récits peut orienter l'âme blessée vers une reprise d'existence résiliente autant que vers la haine qui prépare à la répétition vengeresse, antirésiliente.

Les fabricants de récits (journalistes, romanciers, cinéastes, essayistes) fournissent habituellement trois types de rhétorique pour parler d'un même fait réel :

• un discours placebo qui endort tout le monde : « Ce n'est rien, ça va passer, il faut aller de l'avant... » ;

• un discours nocebo qui affole tout le monde : « Il n'y a plus rien à faire... nous allons tous mourir... c'est la faute au bouc... » ;

• un discours explicatif, interactif qui permet les rencontres et donne des consignes afin de maîtriser la situation. Plus tard, les blessés en feront une réflexion ou un récit afin de remanier la représentation et d'y ajouter un engagement physique et affectif[64].

Alors le travail de résilience devient possible.

---

64. Division of Mental Health, World Health Organization (Organisation mondiale de la santé), Genève, *Who/MNH/PSF*, 1992, 91, 3, p. 30-33.

II

AU BONHEUR DES PERVERTIS

Trois bonnes raisons pour tuer

La recherche du sens témoigne du réveil de la vie psychique. Que l'agresseur soit un volcan, une rivière en crue, un peuple étrange ou un voisin familier, dans tous les cas l'agressé se sent mieux, plus fort et moins angoissé dès qu'il parvient à analyser l'agresseur et à le comprendre afin de s'en protéger. La victime se fascine alors pour tout ce qui vient de l'offenseur. Le moindre frémissement du cratère, la plus petite montée d'eau, l'imperceptible nuance comportementale de l'adversaire devient un révélateur du risque d'une nouvelle attaque. La victime, pour se sauver, devient spécialiste de l'agresseur. Comprendre la menace comme on comprend une maladie permet de la contrôler et de ne pas s'identifier à l'agresseur, alors qu'on y pense sans cesse.

Il y aurait trois raisons pour tuer :
- le crime de légitime défense ;
- le crime logique pour imposer sa loi ;

• le crime passionnel où la mort devient la solution du problème[1].

Quand quatre à cinq cent mille personnes furent emmurées dans le ghetto de Varsovie, le 16 novembre 1940, la famine, le typhus, les assassinats au hasard dans la rue et les déportations en avaient déjà éliminé une grande partie quand une poignée de survivants s'est révoltée. Ils ont acheté trente revolvers, au marché noir, puisque aucun parti politique n'avait voulu leur en donner. Avec ces quelques armes, ils ont tenu tête, d'avril à mai 1943, « simplement pour mourir comme des êtres humains[2] », à trente mille soldats équipés de chars, de mitrailleuses et de lance-flammes. Une centaine de révoltés ont survécu, mais tous les pays écrasés par le nazisme ont découvert que l'armée allemande n'était pas aussi invincible qu'on l'avait cru. Le sacrifice des insurgés a donné le signal de la Résistance européenne.

Le crime logique intentionnel est à la fois politique et émotionnel. Il s'agit de commettre l'attentat le plus horrible, de façon que l'adversaire réagisse violemment, forçant ainsi la population non armée à choisir son camp, à se laisser embarquer dans un conflit où la neutralité n'est plus possible. Au début de la guerre d'Algérie, le FLN[3] a commis des attentats terrifiants pour provoquer une réponse non moins terrifiante de l'adversaire.

Nicolas, jeune Parisien, souhaitait que l'Algérie devienne indépendante. Son arrière-grand-père, orphelin de Bretagne, avait été déporté dans ce pays (comme

---

1. Khider M., cité *in* P. Mannoni, *La Logique du terrorisme*, Paris, In Press, 2004.
2. Cain L., *Une enfance au ghetto de Varsovie*, Paris, L'Harmattan, 1997, p. 136.
3. FLN : Front de libération nationale.

disaient les autorités au XIXe siècle) afin de devenir cultiva-
teur. Nicolas défendait la cause des Algériens, jusqu'au
jour où il a retrouvé le corps de son meilleur ami torturé à
mort, insupportablement mutilé. Bouleversé, révolté, il a
dit : « Si une famille algérienne était passée près de moi, à
ce moment-là, même innocente, je l'aurais massacrée. » En
réagissant ainsi, il se serait soumis à l'intention du FLN de
radicaliser le conflit. Quand on est sûr de gagner la guerre,
toute négociation fait l'effet d'une trahison. On est encore
résistant quand on tue ceux qui veulent notre mort, mais
on évolue vers le terrorisme quand on tue un innocent afin
de soumettre ses proches à nos intentions politiques.

Il est rare que les terroristes se considèrent comme tels,
sauf Robespierre, Saint-Just, Hitler, Staline, Carlos ou
Khadafi, pour qui massacrer ceux qui ne partagent pas
leurs idées constitue une stratégie politique légitime. La
plupart se considèrent comme défenseurs d'une juste
cause... la leur uniquement ! Quand le groupe Stern voulait
fonder Israël sur le territoire palestinien alors placé sous
mandat anglais, il commettait un attentat par jour, jusqu'à
celui du 22 juillet 1946 où trois cent cinquante kilos d'explosifs ont fait sauter le King David Hotel de Jérusalem, faisant
ainsi quatre-vingt-onze morts et soixante-dix blessés
anglais et palestiniens[4]. Ceux qui ont fait cet attentat « sont
des patriotes et non pas des terroristes », a dit Menahem
Begin[5]. Quelques années plus tard Arafat a précisé : « Quiconque défend une juste cause et se bat pour la libération
de son pays... ne peut pas être appelé terroriste[6]. »

---

4. Enderlin C., *Par le feu et par le sang*, Paris, Albin Michel, 2008, p. 224.
5. Begin M., *La Révolte*, Paris, La Table ronde, 1951.
6. Arafat, cité *in* P. Maimoni, *Les Logiques du terrorisme*, *op. cit.*, p. 20.

Les extrémistes sont d'accord : pour imposer sa loi, une mise en scène de l'horreur est une arme puissante. Toute convention en limitant un tel acte de guerre, en civilisant l'assassinat diminuerait sa portée. Il n'est pas suffisant de tuer, il faut aussi terroriser par le théâtre de l'horreur. Rien ne doit empêcher de faire triompher son droit. Le prix à payer est dérisoire tellement l'enjeu est énorme et non négociable : « L'éthique est un frein dont ne peut s'encombrer le terroriste[7]. » Alors, tirer au hasard sur la foule dans l'aéroport de Tel-Aviv ou sur les passants dans la rue des Rosiers à Paris, faire sauter un immeuble à Beyrouth pour tuer deux cent quatre-vingt-dix-neuf Français qui n'étaient pas les ennemis de ceux qui les ont assassinés, prendre huit cents spectateurs en otages à l'Opéra de Moscou n'est pas un bien grand crime, pense le terroriste, puisqu'il s'agit d'imposer mon droit, mon intérêt ou mes idées. Le réel est effacé, seul compte l'idéal. Le terroriste attribue au Chef, au Vengeur, au Penseur, une raison parfaite, une action légitime, comme le fait un amoureux pour l'élue de son cœur. « La fascination amoureuse, la dépendance à l'hypnotiseur, la soumission au leader[8] » caractérisent l'état d'esprit de ces Narcisses amoureux du chef tout-puissant qui les représente. « Le narcissisme du Moi infantile se trouve attribué au Moi idéal du chef merveilleux qui désormais représente l'adolescent[9]. »

---

7. Mattei J.-F., Rosenfeld D., *Civilisation et barbarie. Réflexion sur le terrorisme contemporain*, Paris, PUF, 2002, p. 25.
8. Daubech J.-F., « Idéal », *in* Y. Pelicier, P. Brenot, *Les Objets de la psychiatrie*, Paris-Bordeaux, L'Esprit du Temps, 1997.
9. Freud S., « Pour introduire le narcissisme » [1914], *in* D. Berger, J. Laplanche, *La Vie sexuelle*, Paris, PUF, 1969.

Se soumettre pour triompher

Cette stratégie de la soumission mène à l'ivresse du pouvoir : « Je ne suis pas grand-chose, je n'ai pas d'idées claires, pas de convictions qui pourraient m'enthousiasmer », pense celui qui s'apprête à devenir terroriste. Je mène une non-vie, sans malheurs ni bonheurs. Tout va bien et je suis mal. Lorsque soudain j'admire un homme comme on reçoit la foudre. Un penseur, un chef politique ou un meneur mystique réveille mon narcissisme assoupi et provoque en moi un idéalisme passionné[10]. J'éprouve pour lui un sentiment de merveille et, pour ses idées, une conviction qui n'a pas besoin de preuve pour être acceptée. Il parle et j'obéis. Ma soumission à sa grandeur et à la majesté de ses idées m'élève à sa hauteur puisqu'en lui obéissant je participe à sa victoire, je concours à sa gloire. En me soumettant à sa logique, je découvre en moi une force inattendue. En récitant ses préceptes mes idées deviennent claires. En l'admirant je me mire en Lui et ma passion exaltée ne connaît plus de limites : tout est possible en son nom ! Et puisqu'il est le Bien, le Beau et le Juste, mourir ou tuer pour Lui fait de moi un défenseur de la morale. Je lui donne tout pouvoir sur moi, car en échange j'éprouve une exaltation libératrice, le bonheur de ne plus m'appartenir, mais d'être à Lui à la vie à la mort.

Tous ces « raisonnements » qui ne font que donner une forme verbale à un sentiment extatique révèlent un

---

10. Debray Q., *Amour, sexualité et troubles de la personnalité*, Toulouse, Privat, 2007.

monde sans altérité, une dilatation grandiose du moi qui ne laisse plus de place aux intérêts, aux projets ou au monde de l'autre. Cette absence d'empathie définit un type de perversion où le sujet tombe amoureux de lui-même en admirant le chef qui le représente.

Quand les circonstances éteignent la vie psychique, qu'il s'agisse de l'hébétude traumatique, d'une culture engourdie par la tyrannie ou de l'impossibilité à donner sens, se trouve alors préparé le terreau fertile où pousse le terrorisme. Après une catastrophe naturelle, une guerre, une misère économique, une pauvreté culturelle, qui entraînent une vacuité de sens, c'est par un moment paranoïde que revient la vie.

L'explication la plus simple qui redonne cohérence au monde effondré, c'est le délire logique du bouc émissaire, celui par qui le malheur arrive. La désignation d'un coupable porte en elle-même la solution thérapeutique : le sacrifice ! « Michelet (1862) faisait de la sorcière la contemporaine des temps de désespoir, à un moment où les magistratures (le prince, le juge, l'évêque) étaient défaillantes ou lacunaires [11]. » N'importe quoi plutôt que rien, le psychisme a horreur du vide et l'anxieux est soulagé dès qu'il donne au monde une forme cohérente même si cette configuration coupée du réel est délirante. « Le terrorisme va nous faire regretter les guerres d'autrefois... il faudra toujours plus de violence avant la réconciliation [12]... » « À quoi bon vaincre si, par les méthodes barbares que l'on a utilisées, on a perdu nos raisons de vivre [13]. » Le soldat des

---

11. Mannoni P., *Les Logiques du terrorisme*, Paris, In Press, 2004, p. 141.
12. Girard R., *Achever Clausewitz*, Paris, Carnets nord, 2007, p. 97.
13. Girard R., « L'apocalypse peut être douce », *Le Figaro*, jeudi 8 novembre 2007.

guerres classiques et le résistant tuaient pour vivre, alors que le terroriste tue pour mourir, afin que vive un autre grandiose : mourir pour tuer, afin que vive mieux l'image qui le représente ! Ce délire logique n'est pas un signe de maladie mentale, il témoigne d'une dérégulation psycho-sociale où le sujet donne sa place à un Narcisse grandiose qui incarne ses rêves.

Cela explique la cascade terroriste : un jour, dans un contexte de confusion et de désespoir, un chef guerrier, religieux ou intellectuel, demande : « Qui veut mourir pour ma victoire ? » Cette phrase provoque un coup de foudre chez des garçons bien élevés dans une morne routine de non-existence. L'extase grandiose leur redonne vie qu'ils offrent aussitôt au chef adoré. Dès que ces héros provoquent des récits de joie, d'amour et de vertueuse indignation, un sens est donné au groupe, momentanément revalorisé par la mort du héros. En l'appelant « martyr », on souligne l'agression de celui qui l'a martyrisé, ce qui légitime la contre-violence d'autres candidats au martyre. Le bataillon des pauvres, des humiliés, des sans-espoir sera ainsi levé. L'appareil politique du chef y puise des fantassins anonymes envoyés à une mort discrète que l'on appellera « héroïque » pendant quelques minutes, le temps d'un enterrement et puis, on oubliera.

Le système terroriste, très différent de l'armée classique ou de celui des résistants, s'organise autour d'un chef vénéré, au-dessus de la condition humaine. Il provoque un coup de foudre chez des garçons morts de ne pas vivre dont le merveilleux sacrifice entraîne le bataillon des pauvres, exploités comme toujours.

Un terroriste bien tranquille

Aborder le problème de la psychologie d'un terroriste implique une réflexion un peu particulière. Il s'agit, la plupart du temps, d'un homme ni névrotique, ni psychopathe, ni traumatisé dont l'existence est telle qu'il se laisse engager dans une aventure perverse, alors que lui-même n'est pas pervers ! De telles structures psychiques s'explorent classiquement par le test de Rorschach [14]. Plusieurs terroristes incarcérés ont passé ce test qui a été analysé en « double aveugle » par une équipe de psychologues en Bourgogne et une autre à Nancy [15]. Ces jeunes hommes étaient mariés, avaient des enfants, venaient de familles nombreuses bien structurées, avaient fait des études correctes et n'avaient aucun antécédent psychiatrique ou antisocial. Les cotations du Rorschach n'ont révélé aucun signe de pathologie et pourtant tous les observateurs ont souligné une étonnante absence de refoulement.

Ces hommes qui avaient commis des crimes effroyables racontaient tranquillement comment ils avaient égorgé des dizaines de personnes ou posé des bombes dans des lieux publics. Je me rappelle cette jolie Palestinienne qui racontait en souriant comment sa bombe avait explosé lors d'un mariage, tuant quarante personnes dont huit

---

14. Le test de Rorschach consiste à montrer des planches où des taches d'encre réalisent des formes aléatoires. Le sujet en les interprétant révèle la manière dont il perçoit son monde.
15. Benony H., Boulmali M. S., Tichey C. de, « Étude clinique projective et psychopathologique de terroristes incarcérés », in C. de Tichey (dir.), Clinique des perversions. Repérage diagnostique et prise en charge thérapeutique, Ramonville-Saint-Agne, Érès, 2007.

enfants. Très simplement, elle évoquait des détails insoute-
nables pour les non-terroristes qui l'écoutaient. Cette tranquillité d'esprit témoigne de l'absence de compromis
relationnel. N'ayant pas besoin de l'acceptation sociale, le
terroriste répond à ses seules représentations sans tenir
compte de l'effet que son geste provoque chez les autres.
Narcisse n'a pas d'angoisse quand il accepte de mourir
pour mieux tuer. « Je n'ai pas le souci du mal que je pour-
rais faire en réalisant mes désirs puisque seul compte mon
monde, rempli jusqu'à l'extase d'un projet merveilleux. »
Une telle rhétorique perverse [16] révèle que le monde du
sujet n'est que le lieu de son propre rêve à réaliser.

Cette perversion n'est pas développementale, elle est
conjoncturelle. Le terroriste ne manifeste sa disposition
sereine à tuer que lorsque l'attentat lui en fournit l'occasion. Dans la vie quotidienne, ce monsieur n'est pas pervers, il tient compte de l'opinion de ses proches, il peut
refouler une pulsion qui ne serait pas socialement acceptée. Quand l'attentat est culturellement valorisé et que le
terroriste s'y soumet avec extase, son expression verbale est
aisée, véhémente, avec une certaine jouissance dans la pro-
vocation, une complaisance pour le morbide [17]. Le contexte
psychosocial a créé une empathie de prédateur typiquement perverse : quand un aigle chasse une proie, il ne se
met à sa place que pour anticiper ses comportements de
fuite et l'attraper. Mais cette empathie n'est pas totale
puisque l'aigle en attrapant une souris ne se représente pas
le monde de sa proie, il n'est pas chagriné par les souri-
ceaux qui vont devenir orphelins à cause de lui.

---

16. Perrin F., « Postface », *in*, *Et alors, Papa ? Question de résilience*, Bordeaux,
Bastingage, 2004.
17. Tichey C. de, *Clinique des perversions, op. cit.*, p. 120.

La femme prédatrice qui a mis une bombe dans un mariage jouissait du malaise qu'elle suscitait en racontant l'horreur qu'elle avait commise, mais ne se souciait pas du malheur qu'elle avait provoqué en tuant quarante personnes dont huit enfants : « Je n'ai pas besoin de leur acceptation, je ne fais aucun cas de leur monde, a dit la jolie terroriste. Je me moque de votre regard, je n'ai pas besoin de refouler puisque votre monde m'indiffère, je m'amuse de voir sur votre visage se dessiner l'horreur du crime qui m'a tant fait plaisir. » Dans la situation terroriste, l'altérité est tellement appauvrie que l'assassin reconnaît à peine l'appartenance de l'autre à l'espèce humaine[18]. Quelques transgressions sadomasochiques sont à peine exprimées quand le terroriste parle tranquillement de « cadavres brûlés ou d'enfants tranchés ». Le bonheur de ces hommes est plus proche de l'agir du psychopathe que du scénario pervers. Ces personnes non perverses se soumettent avec délices à la situation qui les a perverties. Elles sont tellement centrées sur leurs propres convictions qu'elles ne peuvent établir avec l'ennemi qu'une relation d'emprise : « Puisque j'ai raison, pense le terroriste, il est normal que j'élimine ceux qui ne se soumettent pas à mes raisons. Un seul monde existe : le mien ! Il n'y a pas de différence possible, seuls comptent mes désirs et mes jugements. » Or ce qui caractérise la pensée du pervers narcissique, c'est justement un monde sans différences[19].

---

18. Chabert C., *Psychanalyse et méthodes projectives*, Paris, Dunod, 1998.
19. Eiguer A., *Des perversions sexuelles aux perversions morales. La jouissance et la domination*, Paris, Odile Jacob, 2001.

Un désir de catastrophe

Dans les situations de guerre entre armées, les catégories étaient claires, on savait qui vous défendait et qui vous tuait. On pouvait donc devenir soldat, résistant ou fuyard. Mais, dans les guerres terroristes, l'ennemi est partout, invisible, il apparaît soudain et frappe par surprise, on ne le repère pas, si bien que tout le monde devient suspect[20], même le sympathique voisin qui tout à coup vous désoriente quand vous apprenez qu'il vient de mettre une bombe dans un rassemblement de scouts âgés de douze à treize ans. Dans un milieu humainement appauvri où les identités sont floues quand le temps n'est plus scandé par les rituels des fêtes et les événements de rencontre, quand l'avenir prend la forme d'un précipice, c'est un moment paranoïaque qui offre un sursaut d'existence. Un tel milieu incertain qui n'aide pas à construire la différence entre soi et l'autre explique le désir de catastrophe comme un jalon identitaire. « La catastrophe accule la mémoire à sa propre transfiguration[21]. » « Désormais, je dois repenser qui je suis, ce que je veux et ce que je vaux », pourrait dire le terroriste fasciné par lui-même.

Quand un milieu n'est pas structuré parce que la culture s'est effondrée ou parce que la routine provoque un engourdissement psychique, le trauma même douloureux réveille la conscience, crée un sursaut d'existence et pose

---

20. Gros F., « L'extension du champ de la sécurité : quels enjeux ? », in B. Chantre, *Les Terrorismes contre la guerre*, Paris, Centre Georges-Pompidou, dimanche 25 novembre 2007.
21. Jeudy H. P., *Le Désir de catastrophe*, Paris, Aubier, 1990, p. 136.

un repère historique : « Désormais je suis celui qui a subi une profonde déchirure et participé à un immense événement : je suis quelqu'un ! » Ce besoin de trauma explique que, dans la cascade terroriste, on trouve beaucoup de gentils tueurs, rendus inexistants par la routine de leur vie quotidienne. Souvent l'existence a été contrariée par un effondrement économique ou une armée d'occupation. Pas de rencontre possible, seul le vide de l'inexistence est soudain rempli par une Révélation extatique : « Tu vas mourir en tuant pour mieux vivre ! »

On comprendrait presque que de pauvres gens tuent parce qu'ils ne peuvent pas vivre, ce qui arrive parfois. Mais on est étonné de voir tant de médecins parmi les islamistes : Georges Habache, le pédiatre qui a jeté à la mer un touriste paraplégique sur son fauteuil, Al Zawari, Mahmoud Zahar, excellents étudiants de la réputée faculté de médecine du Caire, Abdel Aziz Al Rantisi, lui aussi pédiatre[22], et les sept médecins qui, le 3 juillet 2007, s'apprêtaient à faire exploser Londres et Glasgow. Parmi les cinq millions de lettres de dénonciation retrouvées en France à la Libération, il y avait beaucoup de futurs professeurs de médecine qui ont envoyé à la mort leur patron juif afin de libérer un poste et de s'ouvrir une brillante carrière. Les auteurs de ces lettres ont tué pour mieux vivre, seul leur désir comptait. Leurs lettres de délation côtoyaient celles d'aimables voisins qui ont touché une récompense équivalant à soixante-quinze euros pour un enfant et à trois cents euros pour un adulte important[23]. Le plus célèbre assassin d'Auschwitz, le bon docteur Mengele, était un

22. Mahfouz Azzam, témoignage *in Le Monde* du 12 octobre 2001.
23. Lewertowski C., *Morts ou juifs*, Paris, Flammarion, 2003.

agréable compagnon qui lisait Nietzsche, écoutait Bach et torturait les enfants aux heures de bureau.

Tous ces Narcisses amoureux d'eux-mêmes avaient ignoré le monde des autres et leur avaient même dénié l'appartenance à l'espèce humaine, ce qui explique leur étonnante absence de culpabilité. Tuer un cancrelat n'est tout de même pas un crime ! Que leur famille soit aisée ou pauvre, religieuse ou non, un confinement affectif les a isolés au cours de leur développement. La routine les a rendus bons élèves, la pauvreté les a mal socialisés, l'armée d'occupation les a emprisonnés à domicile. Les futurs terroristes ont été coupés des autres et du réel sensible. Une telle situation correspond à la définition non psychiatrique du mot « délire » : idée cohérente qui n'a pas besoin du réel et des autres, tant elle est fascinée par un thème personnel. Quand ce confinement individuel se conjugue avec une humiliation, surgit alors un espoir fou : tuer et mourir pour vivre mieux !

La guerre déclenchée par un État souverain était codée, encadrée par des lois, des règles, des uniformes, des traditions, des chants et des récits de gloire. Institution très structurée, l'armée avait pour but d'imposer le droit de l'État. Le théâtre de la guerre était merveilleux avec ses beaux hussards, ses cavaliers fougueux, ses poilus courageux et ses magnifiques défilés où les chevaux, la musique et la couleur des uniformes composaient un événement spectaculaire.

Mais quand les guerres sont asymétriques, quand l'argent donne accès à une technologie surpuissante, la scène de la violence change de décor : on admire le terroriste isolé qui fait un bras d'honneur au Goliath militaire.

Même quand on ne l'approuve pas vraiment, on est fier
d'être représenté par ce petit David qui avec une fronde ou
une arme légère sauve l'honneur de son groupe et répare
son humiliation. Le théâtre du courage, de l'héroïsme, du
don de soi change de camp, ce n'est plus le vaillant soldat
au bel uniforme qui meurt pour sa patrie, c'est le grand garçon anonyme qui, à la sortie de l'école, affronte une puissante armée et la ridiculise.

Il n'y a pas longtemps qu'on condamne la guerre,
autrefois on pensait qu'elle était notre sauvegarde, la protection de notre civilisation et de nos lois. On trouvait chez
nos soldats les vertus morales du courage, de la générosité
et de la vaillance. Hegel expliquait même que les peuples
qui ne faisaient jamais la guerre étaient incapables de
transcendance. Non seulement la guerre était belle, mais
elle était morale, elle donnait accès à la spiritualité[24]. La
représentation d'une telle épopée provoquait une extase
vertueuse.

Quand les forces en présence sont trop asymétriques,
le courage des hommes n'a plus beaucoup de sens, c'est
l'argent qui permet la victoire. La vertu dans ce contexte va
au résistant, au terroriste, à l'homme qui affronte seul de
coûteuses machines. Un tel engagement devient une réparation narcissique quand le réel est misérable. Il donne un
espoir fou quand l'issue de la guerre paraît jouée du fait de
l'asymétrie des armées.

---

24. Gros F., « L'extension du champ de la sécurité : quels enjeux ? » art. cit.

Quand tout fait signe

Au pied des cheminées d'Auschwitz les déportés se faisaient lire les lignes de la main et s'apaisaient quand on leur disait que leur ligne de vie était longue ! Une croyance délirante les aidait à supporter un réel inexorable. Les hommes qui donnaient sens à leur enfermement[25] comme les communistes et les Témoins de Jéhovah n'étaient pas tentés par la parapsychologie. Mais ceux qui côtoyaient la mort à chaque souffle, hébétés par l'absurdité de tant de souffrances, survivaient seuls, dans l'instant, prisonniers du contexte, sans relations, sans paroles, en agonie psychique, ceux-là étaient soulagés par l'idée de se laisser glisser vers la mort, ou de lui attribuer un sens dérisoire par une croyance délirante. On ne peut pas s'orienter dans un monde insensé, on ne peut pas s'adapter à un monde confus, mais dès qu'une forme apparaît on se sent mieux, parce que l'insensé en devenant explicable donne une clarté qui ordonne une stratégie d'existence. Désormais on sait que faire, où se cacher, qui affronter. Au sortir de la brume et de l'agonie, toute explication redonne vie, qu'il s'agisse des lignes de la main au seuil des fours d'Auschwitz ou de la désignation d'un bouc émissaire après une catastrophe qui dépasse l'entendement.

Les enfants maltraités se défendent ainsi. Pour eux, tout fait signe, comme pour le paranoïaque. Je pense à Armelle, cette petite fille qui aimait beaucoup son père

---

25. De Gaulle-Anthonioz G., préface à G. Tillion, *La Traversée du mal*, entretiens avec Jean Lacouture, Paris, Arléa, 2004.

alcoolique. Quand il n'avait pas bu, c'était un homme adorable, mais quand il était saoul il devenait effrayant. Si bien qu'Armelle avait appris à interpréter le bruit de la clé dans la serrure : « Au bruit que fait la clé, je sais si je peux lui sauter dans les bras ou si je dois me cacher sous le lit », m'expliquait-elle. Cette sonorité devenait signe de l'état mental du père. Un enfant non maltraité n'a pas besoin d'acquérir une telle aptitude à l'interprétation. Un milieu familial sécurisant ne nécessite pas cette vigilance paranoïaque où tout fait signe. Armelle ne délirait pas, le bruit perçu de la clé désignait bien l'état mental non perçu de son père. Il s'agit d'un affûtement sémiologique qui adaptait l'enfant à un père parfois attachant, parfois effrayant. De même après un trauma collectif, quand plus rien n'a de forme, quand le sens n'est plus pensable, une clarté est offerte par un délire interprétatif : « Je me sens mieux depuis que j'ai découvert celui par qui le malheur arrive. » Le mécanisme du bouc émissaire est délirant puisqu'il ne désigne pas le vrai coupable et pourtant ce délire logique est apaisant puisqu'il donne le sentiment de contrôler un monde insensé.

Le sacrifice qui soigne

Après l'attentat de Manhattan, le 11 septembre 2001, la réaction des politiciens face à cette agression impensable permet d'illustrer l'efficacité de ce mécanisme de défense archaïque. Il fallait éviter l'horreur du réel en interdisant certaines images, composer de belles mises en scène en félicitant les agressés pour leur courage et aussitôt désigner un agresseur à punir. L'Afghanistan et l'Irak ont subi cette désignation qui, dans un premier temps, a revalorisé le narcissisme blessé des Américains. Plus tard, la réalité de la guerre a suscité d'autres terrorismes. Les Américains d'abord solidaires pour affronter l'attentat se sont ainsi momentanément protégés des troubles psychotraumatiques après l'attaque de Manhattan, alors que leurs guerres au Proche-Orient ont désorganisé leur défense et provoqué beaucoup plus de souffrances traumatiques.

À Beslan, en Ossétie du Nord, en Russie, l'attaque par les terroristes tchétchènes de l'école n° 1, le 3 septembre 2004, n'a pas provoqué une telle réaction de solidarité. Parmi les mille deux cents otages, il y a eu trois cent trente morts dont plus de la moitié était des enfants. Les troubles psychotraumatiques sont actuellement très importants parmi les survivants, mais aussi dans leurs familles et même dans toute la Russie. Non seulement il n'y a pas eu la grandiose réaction américaine qui a renforcé leur narcissisme, mais les Russes ont plongé dans un processus d'accusations mutuelles. Le docteur Savely Torchinov a été condamné pour avoir oublié un pansement dans le ventre d'une femme. Il a été défendu par le personnel soignant qui a expliqué que tous les médecins étaient obligés d'opérer près des fenêtres, à la lumière approximative du jour parce que les installations chirurgicales étaient désuètes. La population a accusé les autorités de ne pas avoir su organiser les secours, expliquant ainsi le nombre élevé de blessures mortelles [26]. L'ennemi était partout. À l'extérieur, « la barbarie tchétchène » a légitimé les bombardements

---

26. Horowitcz F., Emmanuelli X., Cyrulnik B., *Construire une ville inclusive : une place pour chaque enfant, une place pour tous nos enfants*, Moscou, 16-18 octobre 2007.

aveugles contre leur capitale Groznyi. Et à l'intérieur, en Russie même, les autorités ont été rendues responsables de cet immense malheur. Une tentative de défense narcissique a pourtant existé quand un pédiatre s'est offert en otage pour sauver quelques enfants. Le professeur Leonid Rochal[27], seul élément noble de ce désastre humain, sursaut de générosité dans ce carnage, a été honoré au cours d'une mise en scène émouvante quand il fut proclamé « Héros national de toute la Russie ».

Les stratégies de défense face aux attentats terroristes ont été différentes. Aux États-Unis, l'énorme blessure inattendue a provoqué une défense agressive : déni de l'horreur, solidarité affective, revalorisation narcissique et désignation d'un bouc émissaire. Les Américains, comme un seul homme, ont sacrifié l'Irak. En Russie, l'énorme blessure attendue a provoqué une désorganisation sociale. À l'ennemi extérieur tchétchène s'est ajouté le suspect intérieur russe, le responsable, le voisin. Pas de bouc émissaire puisque l'ennemi était déjà désigné. Le massacre de Beslan a légitimé le massacre des Tchétchènes.

Les kamikazes japonais en 1944-1945 ont été suicidés, puisque, même lorsqu'ils avaient atteint leur objectif, ils devaient ne pas revenir de façon que leur mort terrorise les agressés en signifiant « rien ne nous arrêtera, pas même la mort ». Ils mouraient tristement. Alors que les terroristes islamistes qui désirent mourir pour faire triompher leurs idées meurent en extase. Une telle décision émotionnelle correspond à l'amour-passion où un sujet normal, emporté par ses affects, est prêt à tout sacrifier, lui et les autres,

---

27. Leonid Rochal : professeur de pédiatrie, président d'honneur du Samusocial Moskva, « Héros national de toute la Russie ».

pour réaliser son désir. La tornade affective est tellement violente que le sujet embarqué ne perçoit plus d'autres mondes que le sien. Quand on est emporté par un torrent, il n'est plus temps de penser, la violence du contexte est telle qu'on ne répond qu'à l'immédiat. Notre monde intime est rempli par la perception de tourbillons, trous d'eau, chutes, troncs d'arbre et rochers contre lesquels la puissance du courant nous projette.

La passion qui nous emporte

On retrouve la même passion qui nous emporte et nous isole au cours de la lune de miel avec une secte quand la nouvelle recrue, inondée de bonheur, adore les théories absurdes. Toute raison ferait tomber l'extase, toute remarque priverait le novice de son objet d'amour. En semant le doute dans l'esprit du passionné, vous abîmez son bonheur, vous diminuez son courage, vous réintroduisez dans sa vie l'angoisse et l'insipide quotidien dont sa passion venait de triompher. Vous, le raisonneur, vous devenez son ennemi, au même titre qu'un ami blesse l'amoureux quand il lui fait remarquer un petit défaut de celle qui enchante son âme.

Ce phénomène de passion crée une plénitude narcissique, un moment de grandiosité affective dépourvue d'altérité. C'est une manière d'être au monde, ce n'est pas une pathologie. Dans une telle intensité extatique, toute nuance prend un goût d'eau tiède, tout questionneur fait l'effet d'un rabat-joie. La différence n'est plus perçue ni pensée puisque le passionné est emballé par son seul monde. L'autre, le non-semblable, le réel nuancé constitue un monde de moutons tristes. Au moment de l'orgasme, quand le sujet ne perçoit qu'une sensation venue du fond de lui-même, l'empathie s'arrête, et pourtant cet instant privilégié n'est pas un moment de pathologie perverse. On ne pourrait parler de perversion que si la relation totale, avant et après l'orgasme, était dépourvue d'altérité. La jouissance extrême, la passion, le terrorisme et d'autres sentiments grandioses de soi constituent des moments de plénitude narcissique où l'empathie est abolie. Alors que chez les pervers l'empathie, toujours malformée, caractérise un type de relation où l'un des deux n'existe pas en tant qu'être humain. La jolie terroriste a pu mettre une bombe dans un mariage, sans se mettre à la place de ceux qu'elle venait d'assassiner, puis rentrer chez elle et redevenir une gentille maman attentive à ceux qu'elle aime.

On pourrait classer dans la famille des passionnés ceux qui se droguent sans substance : les joueurs qui ne peuvent se passer de l'érotisation du risque de perdre ou les supporters de football qui désirent intensément la stupide bagarre du dimanche qui va pimenter leur vie quotidienne d'un extrême sentiment d'exister.

Jamais on n'aurait pensé qu'Adèle était capable de ça ! Une enfance sage dans un milieu paisible lui avait permis de réussir ses examens et de monter à Paris pour y faire des études. Rien d'excitant jusqu'alors, un ennui pesant qui avait joué un rôle bénéfique dans sa réussite scolaire, les examens ayant constitué les seuls événements de sa vie engourdie par la routine. C'est alors qu'elle a reçu Mai 68 comme on reçoit un coup de foudre. Tous les jours elle se précipitait au quartier Latin pour discuter, se fâcher, s'exciter dans un groupe qui faisait monter la fièvre intellectuelle en associant la psychanalyse avec la politique : passionnant ! Elle admirait certaines femmes pour leurs vives reparties, elle hurlait contre ceux qui les critiquaient, elle allait au restaurant, elle se faisait belle pour parler avec les garçons, le mois de mai était si beau à Paris en 1968. Elle lisait, elle s'indignait, elle écoutait la radio et colportait les rumeurs, un magnifique moment d'éveil affectif et intellectuel, elle vivait enfin ! C'est sûrement pour ça qu'elle a accepté l'idée d'attaquer un commissariat. Il fallait qu'il n'y ait que des filles, puisque ce genre d'action était jusqu'alors un privilège de garçons et qu'il n'y avait pas de raison de le leur laisser. Elle s'intéressa à la fabrication de cocktails Molotov, elle étudia la disposition spatiale de plusieurs commissariats, elle observa les mouvements des policiers, elle s'étonna du plaisir agacé que provoquait en elle l'approche de l'attaque, et, le jour convenu, blême de peur, en compagnie de quelques attaquantes, elle lança une bouteille enflammée dans un commissariat. Tout le monde s'enfuit dans une course affolée, puis essoufflée, le cœur emballé, elle s'étonna du tremblement de son corps, de sa culotte trempée d'urine et de l'euphorie impossible à maîtriser qui les faisait rire, et parler, et commenter le moindre détail, et dire l'infime émotion, et raconter la plus petite perception. Il n'y a pas eu de blessé dans le commissariat, ce qui permit à Adèle de repenser souvent à son « attentat » en se disant avec fierté : « Je l'ai fait. »

À partir de ce jour, Adèle aspira à se mettre dans des situations qui provoquaient de fortes sensations. Elle s'engagea politiquement, elle fit des voyages risqués et s'étonna de sa combativité dans des discussions dont elle aimait les orages. Elle se maria, eut beaucoup d'enfants qui se développèrent très bien au contact de cette mère active, pimentée et colorée, jusqu'au jour où, l'âge venant, elle renonça à l'idée de lancer des cocktails Molotov et se consacra à l'enseignement du catéchisme.

Adèle n'a jamais été perverse. Au contraire même, le monde des autres la passionnait, les différences l'intéressaient, dans sa catéchèse elle enseignait la découverte et le respect des autres religions. Pourtant, à l'époque de son microterrorisme, elle aurait pu tuer un homme, parce qu'à ce moment de son histoire elle défendait passionnément l'idée que jeter un cocktail Molotov ne devait plus être un privilège de garçon ! Prisonnière de sa passion militante, son empathie ne fonctionnait plus, sur ce point-là.

Cet exemple nous permet de comprendre que lorsqu'une personne ne parvient pas à exister, parce qu'un tyran domestique interdit son développement, parce qu'une religion entrave son épanouissement, parce qu'une culture engourdit son esprit, parce que la misère l'empêche de vivre, parce qu'une armée d'occupation détruit toute organisation culturelle, dans un tel contexte appauvri, l'envoûtement terroriste offre un moment d'existence, un sursaut de dignité.

La fabrique des héros

On devient terroriste pour vivre une passion dans un milieu sans espoir. Ce programme commun rassemble des personnalités très différentes : on y trouve d'authentiques résistants qui organisent des meurtres à grand spectacle afin de terroriser ceux qui veulent leur anéantissement. On y rencontre des morts d'ennui qui érotisent le risque de perdre la vie afin de se donner la sensation d'exister. On y croise des isolés qui se laissent embarquer dans des idéologies extrêmes pour se sentir moins seuls.

Finalement, ce qu'on trouve le moins parmi les terroristes, ce sont les malades mentaux! Quelques psychopathes, mercenaires financés pour commettre des assassinats terrorisants, comme Carlos qui en avait fait son métier avant d'être emprisonné en France, ou comme les kamikazes japonais qui le 30 mai 1972 avaient été payés pour tirer au hasard dans l'aéroport de Lod à Tel-Aviv. Quelques rares mélancoliques que le désir de mort rend faciles à transformer en bombes humaines et deux ou trois paranoïaques qui arrivent parfois à prendre la tête d'un groupuscule. Les terroristes sont de braves gens qui veulent commettre des assassinats monstrueux au nom de leur morale, sans éprouver le sentiment d'être criminels tant ils se soumettent à la représentation inventée par leur chef adoré.

Le problème, c'est la fabrique des héros[28]. La machine à héroïser construit des images qui servent de modèles pour le développement des enfants et pour l'identification du groupe des adultes. À l'époque où les nations se construisaient, les héros nationaux mettaient en scène des moments épiques de cette construction. Bayard le Chevalier sans peur et sans reproche (1524) incarne la lutte contre les Milanais. « Le Petit Caporal » permet à chaque

---

28. Centlivres P., Fabre D., Zonabend F., *La Fabrique des héros*, Paris, Éditions des Sciences de l'Homme, Cahier 12, 1998.

Français de se sentir représenté par cet homme du peuple devenu empereur. Le général de Gaulle incarne la Résistance française. Et aujourd'hui, Yannick Noah et Zinédine Zidane, sacrés héros, nous font comprendre que ce à quoi aspire le peuple au XXIᵉ siècle est assez différent de ce qui l'enchantait en 1804, au moment où Bonaparte s'est lui-même sacré empereur.

En ce sens, on peut se demander ce que signifie l'héroïsation des garçons en territoires palestiniens. Très peu d'entre eux deviendront terroristes, pourtant ces enfants, en sortant de l'école, ramassent des pierres, hésitent et puis finalement déclenchent une pluie de projectiles contre les jeunes soldats israéliens réfugiés dans leurs blindés[29]. Que signifie ce théâtre de l'héroïsation des garçons ? Puisqu'il y a des chars et des armes en face d'eux, ils jouent avec la mort, qui arrive parfois. « Je veux mourir *shahid*, disent-ils. De toute façon on est déjà morts[30]. » Leur projet n'est pas de tuer l'ennemi mais de le défier pour revaloriser l'image de leur groupe social humilié. Alors, ils s'offrent un moment de courage et puis rentrent chez eux pour faire leurs devoirs. Mais cette rébellion mène au contresens puisque ces garçons, encensés quand ils sont violents dans la rue, sont critiqués quand ils continuent de l'être à la maison[31].

Certaines déclarations maternelles participent à cette héroïsation des garçons et donnent de délicieux frissons d'horreur aux Occidentaux : « Je veux que mes fils meurent

29. Manal Altamimi, doctorante en psychologie, témoignage personnel, 2007.
30. Mansour S., « De la difficulté d'être enfant à Gaza », *Revue d'études palestiniennes*, été 2003.
31. Témoignage lors du colloque *Résilience*, Université de Birzeit à Ramallah. Territoires palestiniens, B. Cyrulnik, M. Manciaux, 17-18 mars 2007.

en martyrs... leur mort est une fête[32]...» Quelques mères sont tellement soumises au discours du chef qu'elles y croient vraiment et dansent le jour de la mort de leur garçon. Une telle image produit un spectacle inouï en Occident et même au Proche-Orient. Cette joie terrifiante est un message adressé aux Israéliens, comparable à celui des kamikases japonais : « Voyez à quel point nous aimons la mort... rien ne nous arrêtera... vous êtes perdus. »

La plupart des mères ne réagissent pas comme ça. Elles s'inquiètent, protègent leurs fils et se désespèrent quand ils sont blessés par accident ou par une agression intentionnelle. Ce réel est discret, il ne fait ni spectacle ni discours terrifiant. Alors que la mère voilée qui dit fièrement « J'ai déjà perdu trois fils, j'espère que les autres mourront à leur tour », celle-là participe au Grand-Guignol terroriste.

Héroïsme ou dépression

Les jeunes juifs âgés de quatorze à seize ans qui pendant la Seconde Guerre mondiale se sont engagés dans la Résistance voulaient tuer ceux qui voulaient les tuer. Cette défense désespérée se passait dans l'ombre, sans spectacle, juste pour mourir dans la dignité. Ils étaient abattus dans la rue, sans jugement. Quand ils étaient arrêtés, ils disparaissaient dans les fours. Un grand nombre d'entre eux ont été pendus en public de façon que leur corps reste longuement exposé[33]. Le spectacle de la terreur était du côté nazi.

---

32. Mansour S., « De la difficulté d'être enfant à Gaza », art. cit.
33. Birger T., *La Rage de survivre*, Paris, Denoël, 1998.

Ces enfants juifs n'ont jamais été héroïsés. Pas de funérailles, pas de fêtes, pas même d'adieu quand le corps était laissé par terre, quand il pendait au bout d'une corde ou quand il partait en fumée... pour ne pas démoraliser le persécuteur!

Ces enfants assassinés auraient voulu vivre simplement, sinon mourir dignement, alors que l'héroïsation des garçons palestiniens prend une fonction de réparation narcissique d'un peuple humilié. La mise en scène de leur courage est un mécanisme de défense contre la mélancolie, bien plus qu'un acte de terrorisme. Et leurs parents, comme tous les parents dans une telle situation, sont fiers, inquiets et désespérés. Ces gens qui vivent en dépression culturelle sont la proie de ceux qui veulent les transformer en bombes, et leurs souffrances sont déniées par ceux qui ont intérêt à ne pas les voir[34].

Quand un changement de situation rend inutile l'héroïsme, une renverse affective révèle à quel point il s'agissait d'un mécanisme de légitime défense psychologique. Il suffit de provoquer une rencontre entre ces jeunes héros de dix à dix-sept ans et leurs dominateurs humiliants âgés de dix-huit à vingt ans pour que l'héroïsme perde sa fonction. Les jeunes Israéliens découvrent alors de grands garçons palestiniens, dont l'existence sans projets les pousse à réparer leur dignité en affrontant l'armée à mains nues. Et les garçons palestiniens apprennent à parler avec de jeunes soldats qui daignent les écouter. Soudain, la gaieté héroïque se transforme en récriminations douloureuses. Le petit héros fait tomber le masque de la

---

34. Grunberger, B., « De la monade à la perversion », in *Narcisse et Anubis*, *essais psychanalytiques*, Paris, Des femmes, 1989, p. 593-617.

fierté et dévoile l'authentique désespoir d'un garçon sans avenir[35]. La rencontre avec l'ennemi donne un espoir de négociation, mais cette authenticité douloureuse supprime l'efficacité du mécanisme de défense héroïque grâce auquel l'enfant et sa famille se sentaient moins humiliés. La violence socialement valorisée répare l'humiliation, mais crée un monde mental sans autrui. L'autre est réduit à l'idée qu'on s'en fait et non pas à l'expérience qu'on pourrait en avoir. Dans les deux camps s'est créée une situation socialement perverse où chacun doit ignorer la différence des mondes pour se sentir bien. C'est ainsi qu'un pervers jouit de la souffrance de l'autre.

On pourrait donc considérer l'héroïsation des garçons comme un acte sacrificiel, thérapeutique pour son groupe opprimé. Comme tous les mécanismes de défense, cette adaptation individuelle à un conflit social apporte un soulagement momentané qui empêche les solutions durables. Cette thérapeutique entraîne la chronicité puisqu'en sauvant l'image elle n'agit pas sur le réel. « Le carnaval des martyrs[36] » qui empêche la négociation protège les individus. Il y a moins de troubles psychotraumatiques chez les garçons qui ont lancé des pierres que chez ceux qui n'ont pas participé à l'Intifada[37]. Cette illusion groupale sauve la dignité, mais empêche la préparation à la paix.

La stratégie opposée, en organisant des rencontres entre ennemis, offre une possibilité de paix, mais, en invitant chaque groupe à découvrir l'autre, elle rend inutile

---

35. Al Tamimi M., Tal Dor, *Palestinian Israëli Encounters versus Activism for Socio-Political Change*. Et Al Tamimi M., *La Confrontation à l'ennemi par des méthodes non violentes*, master 2, université Paris-VIII, 24 février 2007.
36. Cyrulnik B., Bozarlan H., Manciaux M., Colloque *Résilience*, Université de Birzeit (Ramallah), Territoires palestiniens, 17-18 mars 2007.
37. Cyrulnik B., Bozarlan H., Manciaux M., colloque *Résilience*, *op. cit.*

l'héroïsation protectrice et dévoile la mélancolie de la collectivité. Vivre sans autrui constitue une défense perverse, un bonheur immédiat qui, en légitimant la violence, empêche d'affronter le problème réel. Le sujet, plein de lui-même, ne perçoit rien de l'autre. Prisonnier de son narcissisme et de son désir de détruire l'ennemi, il se trouve entraîné dans une situation perverse alors qu'il n'a pas une personnalité perverse. La grandiosité narcissique qui illumine son espace intime estompe le monde de l'autre.

L'appauvrissement affectif

Cette narcissisation est provoquée par un appauvrissement affectif. Dans l'enveloppe sensorielle qui entourait l'enfant, il n'y avait pas beaucoup d'Autre, parfois même pas du tout, comme dans les situations d'abandon sans substitut où l'enfant isolé ne peut se remplir que de lui-même. Parfois il n'y avait qu'un seul Autre, comme lorsqu'un parent, lui-même isolé, s'isole avec son enfant et l'emprisonne dans un amour exclusif qui empêche le petit d'apprendre à aimer une autre figure d'attachement. Il arrive que la situation sociale isole l'individu, bloquant ainsi le décentrement de soi et le développement de l'empathie[38]. Parfois enfin, c'est une organisation culturelle qui détourne l'individu de l'intérêt pour les autres ou même le lui interdit.

Pris dans un tel système, l'individu est contraint au clivage. Il se retrouve coupé en deux avec une partie de sa

---

38. Cyrulnik B., *De chair et d'âme*, Paris, Odile Jacob, 2006, p. 143-184.

personnalité fonctionnant de manière sécure et dévouée, tandis qu'une autre partie de lui-même est empêchée de se développer. Pour peu que cette personne intériorise docilement ces lois de restriction, elle risque de développer une personnalité clivée, à la fois généreuse et perverse : « J'ai été heureux pendant les quatre années que j'ai passées à Auschwitz », a dit Rudolf Hess [39]. Au moment où il s'exprimait ainsi, il ne répondait qu'à une représentation de lui-même, à sa jolie maisonnette à l'entrée du camp, au petit jardin dont il s'occupait tous les jours, à son tendre couple et à ses cinq enfants qui s'épanouissaient gaiement. Puis, l'officier nazi partait faire son difficile travail, comme un chirurgien de guerre taille, coupe et ampute sans se sentir responsable des malheurs qu'il tient entre ses mains : « Je n'ai fait qu'obéir », ont dit tous les nazis et leurs collaborateurs.

Cette perversion conjoncturelle est différente de la perversion développementale. On peut agir sur une situation pervertissante et la changer en participant à la culture, aux débats et aux décisions politiques. On voit alors un grand nombre d'individus s'étonner de leurs anciens comportements ou de leurs propres croyances : « Comment ai-je pu croire à de tels baratins et risquer ma vie pour les défendre ? », disent souvent les Sud-Africains qui ont soutenu l'apartheid. « Je ne me rendais pas compte à quel point je les faisais souffrir », a dit cette jolie blonde lors d'une séance de réconciliation.

---

39. Émission sur La Chaîne parlementaire, Assemblée nationale, 26 décembre 2007. Et Rudolf Hess, *Le commandant d'Auschwitz parle*, Paris, La Découverte, p. 191. Et Goldensohn L., *The Nuremberg Interviews* (carnets du psychiatre expert au procès de Nuremberg), Londres, Pimlico, 2007, p. 307.

Mais quand l'appauvrissement de l'enveloppe sensorielle a duré trop longtemps, une lacune s'est inscrite dans
la mémoire de l'enfant qui n'a jamais appris à se décentrer
de lui-même. On a beau changer le contexte social et les
discours culturels, le pervers structurellement carencé ne
sait répondre qu'à ce qui vient de lui-même : « Elle avait
qu'à lâcher son sac », répétait brutalement ce garçon de
quatorze ans. En lui arrachant son sac, il avait fait tournoyer la dame âgée qui était tombée sur la tête, une hémor-
ragie cérébrale l'avait emportée. « Elle avait qu'à lâcher son
sac, elle serait pas morte. » Ce garçon qui avait toujours
vécu dans un milieu de négligence affective n'avait jamais
eu l'occasion de s'intéresser à un autre monde que le sien. Il
ne savait même pas que ça existait.

Les nazis cultivés, les gentils Khmers rouges, les
braves Hutus et les islamistes bien élevés font le mieux possible leur boulot de mise à mort. Puis ils rentrent chez eux
où ils redeviennent de bons papas, des enseignants atten-
tifs, des médecins dévoués et des fonctionnaires zélés.

Pas de trace de l'autre

Badra m'a raconté la technique de massacre des
islamistes dans son village au sud d'Alger. D'abord, ils
attaquent à la nuit tombante et tuent beaucoup de monde.
Puis ils se retirent. Les survivants hébétés sortent de leurs
cachettes. C'est alors que les islamistes reviennent et, grâce
à ce stratagème, éliminent tout le monde. Seule compte la
tâche à accomplir. Éliminer l'autre, quelle que soit la
méthode (signature d'un décret, réquisition d'un train,

commande d'un gaz mortel, balle dans la tête, bombe ou machette), ne donne pas une représentation de crime puisque l'Autre n'est pas représenté.

Quand la victime existe à peine, son âge et son sexe existent encore moins. L'exécuteur n'envisage même pas la différence entre les sexes et les générations. « Tuer l'enfant de l'ennemi, ce n'est pas tuer un enfant, c'est tuer un futur ennemi », expliquaient poliment les membres de la Gestapo, comme plus tard l'ont déclaré les Hutus et les islamistes.

Ce genre d'énoncé est typique d'un pervers qui a du mal à formuler avec des mots une différence qu'il ne parvient pas à penser puisqu'il n'est plein que de lui-même. Quand un père incestueux incarcéré écrit son histoire, il structure son récit en employant sans cesse un « je » omniprésent, entouré du « on » impersonnel de sa femme et de ses enfants qu'il ne pense même pas à désigner par leur nom [40].

À la différence des pervers structurels, les pervers culturels ne le sont que lorsqu'ils participent à l'épopée du Maître. Ils ne sont pas pervers dans les autres secteurs de l'existence où ils sont d'agréables compagnons. Un pervers développemental, lui, ne peut réagir qu'en pervers quels que soient le milieu ou la situation. Il n'a appris à répondre qu'à ce qui vient de lui-même parce que l'organisation de son milieu quand il était enfant a appauvri toute perception de l'autre.

Le pervers culturel révèle plutôt une pathologie de la doxa : anormalement normal, il fonctionne comme un per-

---

40. Perrin F., *Et alors, Papa ? Question de résilience*, témoignage anonyme et analyses d'experts, Bordeaux, Bastingage, 2004, p. 133-141.

vers parce qu'il se soumet à un discours normatif qui lui dit
qu'il n'y a pas d'autre. Il s'inféode à l'opinion du chef adoré
qu'il intériorise par amour. Il faut souligner que le pervers
culturel fait son boulot pervers sans éprouver le plaisir de
faire du mal ni vraiment transgresser. La cruauté gesta-
piste ou islamiste est rarement sadique, elle se dit vertueuse. Elle est proche de la « pulsion d'autoconservation
du nourrisson[41] » qui, s'il en avait les moyens, n'hésiterait
pas à détruire celle qui lui donne le sein trop lentement. Il
la tuerait sans vouloir sa mort ni jouir de sa souffrance
puisque, n'ayant pas encore accès à l'empathie, à la représentation de mondes différents du sien, il répond essentiellement à ce qui vient de son propre monde. Son désir
tout-puissant est nécessaire à sa survie. On est en plein narcissisme, mais, à ce stade du développement, Narcisse est
sain, normal et salvateur. Toute frustration pour le bébé est
un équivalent de déchirure traumatique à laquelle il
répond par une agression désespérée et violente, une
défense en quelque sorte adaptative à un contexte mena-
çant. C'est une réaction d'autoconservation qui provoque
une défense perverse alors que, bien évidemment, le bébé
n'a ni structure ni personnalité perverse.

L'adorable nourrisson, le nazi cultivé, le fonctionnaire
zélé amoureux de la loi du Maître, le pédiatre islamiste et le
criminel sexuel appartiennent à la famille des pervers
conjoncturels incapables de se décentrer d'eux-mêmes au
moment où ils sont possédés par la passion. Le terroriste
idéologique et le criminel sexuel réagissent comme le nourrisson. « En critiquant mon maître adoré, mon sauveur qui

---

41. Cupa D., « Tendresse et cruauté. L'univers des pulsions selon la psychanalyse », *Le Journal des psychologues*, nov. 2007, n° 252, p. 51-56.

m'a rendu la vie, vous me renvoyez à mon inexistence, il est donc juste que je me défende en vous tuant », pense celui qui utilise la terreur. « En me prenant ma femme, vous me dépossédez de la partie la plus chère de moi, il est donc juste que je vous tue », dit celui qui assassine par amour. « En me refusant votre sein, vous néantisez mon monde, une telle frustration mérite votre destruction », pourrait penser le nourrisson.

Le bourreau idéologique [42], l'exécuteur qui fait tourner la machine administrative en se représentant à peine les souffrances qu'il inflige, est un cousin du nourrisson. Ils sont tous sous l'emprise d'une séduction narcissique maternelle qui, par son monopole affectif, appauvrit le milieu sensoriel où il n'y a qu'une seule personne à aimer. L'enfant amoureux d'une mère dominante n'apprend pas à aimer quelqu'un d'autre, ce qui arrête son empathie et le prive du plaisir de découvrir d'autres mondes, d'autres réactions émotionnelles, d'autres pensées ou d'autres cultures. Hyperadapté au monde d'un seul amour, il se retrouve en situation d'apprendre la perversion. Cela explique l'étonnement du psychiatre Léon Goldensohn qui, lors du procès de Nuremberg, s'attendait à voir des monstres puisque ces hommes avaient commis d'impensables monstruosités [43]. Il fut désorienté en entendant les inculpés lui raconter une enfance heureuse, dans une famille aimante. Ils n'étaient pas pervers et pourtant s'étaient comportés comme de grands pervers, tant ils s'étaient soumis à l'emprise d'un Sauveur qui leur avait promis de réparer l'humiliation du traité de Versailles

---

42. Zagury D., « Les serial-killers sont-ils des tueurs sadiques ? », *Revue française de psychanalyse*, LXVI, Paris, PUF, 2002.
43. Goldensohn L., *The Nuremberg Interviews, op. cit.*

(1919) et de faire de l'Allemagne le phare de la culture occidentale[44].

Un tel dispositif historique et culturel réalise les conditions du narcissisme : « Un effacement de la trace de l'Autre dans le désir de l'Un[45] ». Cette pensée psychanalytique est pratiquement éthologique : tout être vivant qui n'a pas reçu l'empreinte, la trace de l'Autre dans sa mémoire biologique au cours de son développement précoce ne saura pas, quand surviendra le désir, vers quel objet autre que lui-même orienter ses comportements sexuels. Un contexte affectif et culturel peut donc organiser une « situation sans autrui [46] », où le sujet n'a pas la possibilité d'apprendre à aimer quelqu'un d'autre que lui-même[47]. Un enfant qui découvre la vie dans un milieu sans autrui ne peut pas ne pas hypertrophier son narcissisme puisque l'Autre est affadi. Alors, il se centre sur lui-même, seul objet permanent de son désert affectif, comme en témoignent les expérimentations éthologiques qui servent de modèle à la compréhension de l'attachement. Un animal placé dans une boîte noire, un bébé abandonné sans substitut sensoriel, un enfant élevé en négligence affective, parce que les parents sont morts ou éteints par leur malheur, un prisonnier au cachot ou une culture close empêchent le développement de l'empathie. Quand un milieu social est désorganisé par la misère ou par la déculturation, quand

44. Léon Goldensohn écrit dans ses carnets que seul Herman Goering présentait des signes de psychopathie. Tous les inculpés du procès de Nuremberg ont été des enfants « gâtés », bien aimés et bien élevés.
45. Green A., *Narcissisme de vie, narcissisme de mort*, Paris, Éditions de Minuit, 1982, p. 127. Cité *in* N. Jeammet, F. Neau, R. Roussillon, *Narcissisme et perversion*, Paris, Dunod, 2004, p. 173.
46. Lebrun J.-P., *La Perversion ordinaire. Vivre ensemble sans autrui*, Paris, Denoël, 2007, p. 375-385.
47. Tournier M., *Vendredi ou les limbes du Pacifique*, Paris, Gallimard, 1967.

un entourage affectif est détruit par la mort ou par le malheur, l'enfant ne rencontre que des bases d'insécurité. Tout face-à-face avec un autre provoque une angoisse qu'il ne peut apaiser qu'en se retournant vers ce qui le sécurise : lui-même ! Alors, il se balance, tournoie, se masturbe, se réfugie dans des rêves coupés du réel, délire, se brûle avec des cigarettes, se lacère le visage, s'autoagresse et se punit afin de s'apaiser[48]. Narcisse court se noyer dans son bonheur solitaire.

Technologie et monde sans autre

Il semble bien qu'aujourd'hui la technologie affadisse l'altérité. Elle construit une nouvelle écologie où les machines réalisent de stupéfiantes performances mais ne permettent plus aux enfants d'apprendre les rituels d'interaction, les mimiques, les silences, les scénarios gestuels qui permettent de s'ajuster à un autre, sécurisant et pourtant différent. Médusés par la télévision, ils se saturent de sucreries et de graisses délicieuses. L'immobilité devant l'écran, à la maison et à l'école, en fait des obèses explosifs qui n'ont jamais connu le plaisir de se fabriquer musculairement, de triompher d'une épreuve relationnelle et d'apprendre à s'étonner de la découverte de mondes différents. Dans un tel contexte d'amélioration technique et d'engourdissement affectif, l'empathie se développe mal et favorise la narcissisation : « Cette solitude grandissante est la plaie la plus pernicieuse de l'homme occidental contem-

---

48. Lebreton D., *Anthropologie de la douleur*, Paris, Métaillé, 1995.

porain[49]. » Depuis que l'Asie adopte la techno-culture, les mêmes phénomènes d'autocentrage narcissique apparaissent. Quand les Africains s'occidentalisent, ils connaissent à leur tour la même évolution : « Mon père est venu travailler pour l'ambassade du Sénégal en France... j'étais très heureuse... [au Sénégal]... j'avais une grand-mère extraordinaire... Elle me disait "Va porter de l'eau aux vieux..." et puis [en France], le froid, l'appartement avec sa porte fermée et les voisins que l'on ne connaît pas. La famille soudain réduite à papa, maman et les enfants[50]. » Rama Yade nous explique qu'elle est passée de la constellation affective africaine, où « tout un village élève un enfant », à une cellule familiale close où les rencontres sont réduites. « Ce que nous fait entendre le néosujet avec le développement de sa perversion "ordinaire" et non "structurelle"... c'est la disparition de la rencontre... dans un monde sans Autrui[51]. »

Il n'y a pas d'autrui non plus dans l'agonie psychique qui suit un trauma. Quand la vie revient, il faut tout repenser : « Qui suis-je maintenant avec cette partie morte de la représentation de moi ? Qui désormais voudra bien vivre avec moi, un escarrifié ? » Quand le revenant est entouré par une nouvelle enveloppe affective et par de nouveaux récits culturels, il parviendra progressivement à reprendre un néodéveloppement résilient. Mais, s'il est négligé, s'il est laissé seul en agonie, sa survie dans un monde sans autrui organisera un moment de narcissisme.

49. Tournier M., *Le Vent paraclet*, Paris, Gallimard, 1977.
50. Mathieu H., « Rien n'est simple chez moi. Divan, Interview de Rama Yade », *Psychologies Magazine*, janvier 2008, n° 270, p. 20-21.
51. Lebrun J.-P., *La Perversion ordinaire. Vivre ensemble sans autrui*, *op. cit.*, p. 382.

Quand un groupe humain abandonne ses blessés, l'appauvrissement sensoriel, affectif et verbal les transforme en pervers ordinaires, en nourrissons cruels. L'isolement, facilité par les progrès techniques[52], par une idéologie de clan où l'on ne rencontre que des gens comme soi glorifie le groupe en le coupant des autres, organisant ainsi un milieu qui tutorise l'individualisation de pervers culturels[53]

Pourrait-on parler de « moments pervers » quand un agonique tente de revenir à la vie comme on parle de « stades pervers » quand un nourrisson découvre la vie ? En effet, quand on parvient à modifier le contexte, à renforcer les interactions affectives, à changer les récits qui « expliquent » le trauma, on constate des reprises évolutives résilientes parce que de nouvelles transactions ont été rendues acceptables : « Le monde pervers est un monde sans autrui, donc un monde sans possibles...[54] » Chaque rencontre crée un nouveau devenir alors que le scénario répétitif du pervers et son splendide isolement facilitent les défenses narcissiques. L'autre est sans valeur, la sagesse est de ne pas le désirer : « Ce sentiment m'est donné de savoir mon bonheur indépendant des circonstances, émanant de moi, de sentir que je le dois à moi seul et que je serais heureux n'importe où[55]. »

« Que les autres souffrent ou meurent me laisse indifférent. Mon Moi grandiose se satisfait de plaisirs narcis-

---

52. Sartorius N., *Fighting for Mental Health*, Cambridge University Press, 2002.
53. Callil C., *Bad Faith. A Forgotten History of Family and Fatherland*, Londres, Jonathan Cape, 2006, p. 11-14.
54. Deleuze G., *Logique du sens*, Paris, Éditions de Minuit, 1960, p. 372.
55. Lettre d'André Gide à son ami Pierre Louÿs (1889), cité par N. Jeammet, « Quelques figures littéraires du lien narcissisme/perversion dans l'œuvre de Gide », *in* N. Jeammet, F. Veau, R. Roussillon, *Narcissisme et perversion*, Paris, Dunod, 2004, p. 179.

siques. Je n'ai pas besoin des autres car je ne peux pas être déçu par moi-même », dit Narcisse avant de se noyer. « J'étais heureux à Auschwitz », a dit Rudolf Hess après l'effondrement nazi. Dans une telle passion de soi où l'autre n'a pas de place, la notion de crime s'évapore.

La tendance actuelle étend la définition de la perversion aux inévitables stades pervers de l'enfance quand l'Autre n'existe pas encore[56] et que l'éducation consiste à le lui faire découvrir. Mais quand un groupe clos n'admire que lui-même, l'isolement idéologique organise une situation de perversion culturelle comme ce fut le cas du nazisme, comme c'est aujourd'hui le cas de l'islamisme et de celui des sectes. Quand le contexte pousse au narcissisme, la passion amoureuse des possédés crée des moments d'extase qu'ils manifestent lors de fêtes sacrées ou profanes.

Chaque adepte éprouve un immense bonheur en se soumettant au Maître adoré et en récitant ses maximes vénérées. Dans une telle relation, l'autre homme, l'autre culture n'existent pas vraiment, ils ne sont que l'image floue que Narcisse se fait d'eux.

Dans la pensée empathique, nous devons percevoir des indices corporels et verbaux que l'Autre laisse échapper et qui vont nous permettre de nous représenter ses désirs, ses intentions et ses croyances[57]. Dans la pensée narcissique, nous attribuons à l'ombre de l'Autre ce que nous croyons de lui. Non seulement nous ne percevons rien, nous ne savons rien de ses émotions ou de sa culture mais, pour

---

56. Pirlot G., Pedinielli J.-L., *Les Perversions sexuelles et narcissiques*, Paris, Armand Colin, 2005, p. 101.
57. Cassidy J., Shaver P. R. (éds.), *Handbook of Attachment, Theory, Research, and Clinical Applications*, New York-Londres, The Guilford Press, 1999.

l'entraîner dans notre délire logique, nous l'obligeons à porter des signes, une étoile de David, une odeur de cancrelat, un papier administratif qui nous permettent de le reconnaître sans avoir à faire l'effort de le rencontrer. Dans ce type de relation sans lien, l'autre est réduit à l'état de déclencheur de plaisir, de haine ou de vertueuse indignation.

L'égoïste connaît l'altérité, mais il se donne la priorité. Le psychopathe n'a ni loi ni lien, seule son action répond à sa pulsion. Narcisse, lui, jouit de la représentation qu'il se fait de l'Autre ou de la récitation des slogans du Maître. Son amour n'est pas une relation, c'est un moment de plénitude où l'Autre, merveilleux ou horrible, n'est que l'image qu'il s'en fait.

Le goût étrange de revivre

Le retour de l'existence après une agonie traumatique passe par un moment de vie psychique où l'autre est encore une ombre. Ce moment pervers prend un goût étrange. Alors qu'un nourrisson est ce qu'est l'autre, il éprouve un sentiment de plénitude quand l'autre se manifeste en lui et de vide quand il n'est pas là, un blessé de l'âme, lui, se demande comment l'épouvantail qu'il est devenu va reprendre une place auprès de l'Autre qui le regarde étrangement : « Le masochisme est le premier temps de la réanimation de la vie fantasmatique...[58] » Un nourrisson qui n'a pas encore accès à l'altérité hurle de rage quand le sein

---

58. Diatkine G., « Psychopathe », *in* D. Houzel, M. Emmanuelli, F. Moggio, *Dictionnaire de psychopathologie de l'enfant et de l'adolescent*, Paris, PUF, 2000, p. 580.

n'est pas là et exprime sa jouissance dès qu'il le retrouve. Cette situation banale constitue pourtant une pédagogie de l'empathie puisqu'en se développant le bébé comprend que ce sein appartient à un Autre qui reste à découvrir. Lorsqu'un traumatisé revient à la vie, il répond à une représentation amoindrie de lui-même et se demande comment il devra s'y prendre pour retrouver une place auprès des autres. C'est le blessé qui paie pour revenir en vie, alors que le nourrisson ne se rend même pas compte que l'Autre paie pour lui. L'empathie du nourrisson se construit à chaque rencontre : « Quand l'autre est là, je suis plein, dès qu'il manque je suis vide. » Alors que l'empathie du traumatisé, altérée par la déchirure de son image, le mène à se demander quelle idée l'Autre se fait de ce qui lui est arrivé : « Maintenant que je suis amoindri, qui suis-je pour l'Autre ? »

Tran Nhi aurait dû mourir avec sa famille quand les Khmers rouges ont détruit le village. C'est pourtant un soldat khmer qui, au moment du massacre, lui a fait signe de se cacher dans la grande marmite de la cantine de l'école. Nhi qui n'avait que six ans a plongé dedans, et le soldat a replacé le couvercle. Quand les cuisiniers sont revenus le lendemain, ils ont découvert parmi les cadavres l'enfant qui n'avait pas bougé. Ils ont remis le couvercle. Tran Nhi a vécu quelques jours ainsi, blotti en écoutant la vie autour de lui. D'abord les cris, les hurlements, puis le silence, quelques gémissements, et le silence surtout. Il n'a pas bougé. Quand les bruits de la vie sont revenus, le chef cuisinier a soulevé le couvercle et vu Tran Nhi. Il a hurlé : « Je ne veux pas de cet enfant ici. Tant qu'il est là, nous risquons la mort. » L'enfant n'a pas bougé, mais il a entendu les disputes violentes de ceux qui voulaient le laisser dans sa marmite et de ceux qui préféraient se débarrasser de lui. Tran Nhi a pensé : « Je suis celui qui cause la mort de ceux qui me laissent vivre. Quand les adultes s'occupent de moi, ils meurent, c'est normal. Le simple fait de me laisser en vie dans ma marmite les met en danger de mort. Voilà qui je suis : un enfant qui fait mourir ceux qui ne veulent pas sa mort. »

La marmite a été soulevée avec l'enfant dedans, elle a été posée dans une camionnette qui a roulé, longtemps peut-être ? Puis le couvercle a été enlevé et quand Tran Nhi est sorti il s'est aperçu qu'il était dans une maison avec d'autres enfants. Des adultes au visage sombre s'occupaient d'eux sans parler. Une autre camionnette est arrivée, pas de marmite, cette fois. Tran a été emmené dans la cour d'une ferme, on lui a demandé de descendre, la fermière ne l'a pas regardé, un paysan lui a désigné un coin de paille dans la grange, Tran a compris que c'était là qu'il devrait dormir, il a écouté les bruits de la ferme autour de lui, mais il n'a pas osé sortir de son abri. « Comment fait-on pour parler ? Comment fait-on pour demander à manger à ceux qui vont mourir parce que je suis là ? » Tran attendait. Les bruits de la vie le rassuraient, toute rencontre le tétanisait. Ce qui vient du monde est une agression, mais quand rien ne vient du monde, c'est un désespoir. L'enfant se contentait d'être là, immobile, et de respirer. La passivité muette était la solution qui s'était imposée entre la culpabilité de vivre et l'angoisse de rencontrer. Un grand garçon, un vieux de quatorze ans, est venu le chercher. Tran Nhi s'est accroupi auprès d'un petit groupe de trois autres garçons et d'une fille. On leur a donné à manger. Tran était affamé, mais il n'a pas pu avaler car la peur d'être avec les autres lui serrait la gorge. Le grand garçon insistait en le poussant avec la gamelle, sans dire un mot. Tran aurait bien voulu manger, mais un étrange sentiment l'en empêchait. Il a été très étonné de se voir soudain prendre la gamelle et en verser une grande partie dans le bol de la fille qu'il ne connaissait pas et qui n'a pas bronché. Alors seulement, Tran a osé s'alimenter.

Quarante ans plus tard, en repassant dans sa mémoire cet étrange film sans paroles, Tran a soudain compris que cette saynète avait caractérisé son style relationnel, la stratégie affective qui lui avait permis de côtoyer les autres malgré la crainte qu'il avait de les faire mourir.

La relation avec l'agresseur était plus simple finalement. « Il faut que je me rende fort et quand je serai grand je tuerai tous les Khmers rouges. Mais vivre aux côtés de ceux qui veulent bien me laisser vivre nécessite des sacrifices pour me faire pardonner le risque que je leur fais prendre en me côtoyant. » Cent fois, mille fois au cours de son existence, des scénarios analogues avaient organisé ses relations. Un jour, dans un orphelinat, quelqu'un avait fracturé la porte de l'économat et dérobé de la nourriture. Tous les enfants, punis collectivement, devaient tourner dans la cour sans parler, jusqu'à ce que le coupable se dénonce. Tran Nhi avait éprouvé un grand sentiment de plaisir en s'imaginant qu'il allait se désigner comme coupable afin que, grâce à lui, les enfants recommencent à jouer. Il ne serait plus celui par qui le malheur arrive, au contraire même, la punition qu'il se ferait infliger lui permettrait de modifier la représentation qu'il avait de lui-même. En se faisant punir, il devenait celui par qui le bonheur arrive. Tran fut encore un peu gêné quand il comprit qu'en se désignant comme coupable il risquait d'embarrasser le vrai fautif. Il se dénonça quand même, il n'éprouva pas de plaisir à la punition, mais il ressentit un bonheur tranquille en découvrant que désormais il savait comment changer la représentation maléfique qu'il avait de lui-même. Il n'était plus soumis aux événements qui avaient planté dans son âme l'image d'un enfant qui tue ceux qui veulent bien l'aimer. Il lui suffisait de se rendre fort pour anéantir ses agresseurs, puis de se sacrifier afin de se faire aimer sans angoisse. L'épouvantail devenait aimable.

La force et le sacrifice

Ce remaniement de la représentation mortifère qu'il avait de lui-même a thématisé son existence et caractérisé un style relationnel où il associait la force et le sacrifice.

Trente ans plus tard, s'étant rendu socialement utile en dirigeant une entreprise, Tran n'a pas assassiné les Khmers rouges avec qui il travaillait, mais il a milité pour expliquer à quel point leur génocide avait été stupide. Ayant appris à remanier la représentation qu'il avait de lui-même, il a entrepris de remanier aussi celle de ses agresseurs : il devait les convaincre.

Le retour à la vie d'où il avait été chassé par le trauma, le remaniement de l'image de soi mortifère, avait été rendu possible par un moment masochique où l'un des deux termes de la relation était sacrifié : lui-même ! Le passage pervers le réconfortait en lui permettant de se construire une image de lui-même socialement acceptable : la force et le don de soi lui permettaient de vivre en paix !

L'ennui d'une telle stratégie, c'est que cette défense adaptative s'imprègne dans les apprentissages implicites de l'enfant et devient un style relationnel : « Tran travaille tout le temps, on peut tout lui demander », disait-on autour de lui. « Il ne sait pas dire " Non ". » L'autre difficulté, c'est qu'une personne qui veut tout donner rencontre facilement quelqu'un qui veut tout recevoir. Il n'est pas rare qu'une telle oblativité morbide mène le masochique à la dépersonnalisation et à la dépression d'épuisement, alors qu'au départ le masochisme moral lui apportait un agréable soulagement.

Une telle stratégie n'est pas vraiment un processus de résilience puisqu'elle risque de mener au renoncement de soi ou au burn-out [59]. Cette défense est perverse puisqu'un des deux termes de la relation n'est pas tout à fait une personne, mais elle provoque un sentiment euphorisant et dynamisant qui amorce la résilience : « Je sais comment faire maintenant, pour m'en sortir. » C'est plus que le coping [60] qui, lui, se passe dans la synchronie, dans l'affrontement de l'épreuve, dans les « manières de s'ajuster aux situations difficiles [61] ». « L'étape masochique constitue le temps de retour à la vie [62]. » Certains Cambodgiens, lors du fracas génocidaire, ont « choisi » de se rendre indifférents pour moins souffrir. D'autres ont réagi comme des psychopathes impulsifs afin de se sauver et de survivre, tout simplement. Tous se sont débattus en légitime défense. La résilience a démarré plus tard, lors de la mise en place d'un

---

59. Burn-out : équivalent actuel de l'ancienne notion de « dépression d'épuisement ». Delbrouck M. (éd.), *Le Burn-Out du soignant*, Bruxelles, De Boeck, 2003.
60. *Coping* : ensemble des moyens avec lesquels un individu agressé affronte l'épreuve. Le coping est dans le coup, alors que la résilience est dans l'après-coup.
61. Paulhan I., Bourgeois M., *Stress et coping, les stratégies d'ajustement à l'adversité*, Paris, PUF, 1995, p. 40.
62. Rosenberg B., *Masochisme mortifère et masochisme gardien de la vie*, Paris, PUF, coll. « Monographies de la revue française de psychanalyse », 1991.

projet. Entre les deux, le passage masochique a témoigné d'un début de retour à la vie : « Le masochisme moral est celui auquel les névrotiques font le plus communément appel quand le masochisme est nécessaire[63]. » Cette étape masochique relance la vie et déclenche un processus résilient, puis elle doit s'effacer pour éviter de devenir une perversion structurelle[64]. L'entourage familial et culturel, en rendant inutile la transaction masochique, peut aider une reprise résiliente, mais la défense masochique peut se transformer en piège, selon sa résonance avec le milieu. Quand la famille ou l'institution n'exploitent pas l'oblativité et le courage excessif de l'enfant, le petit revenant n'a plus besoin de cette défense coûteuse. Peu à peu son empathie se régule. Le blessé accorde autant d'importance à lui-même qu'à l'autre. Alors la relation tisse un lien non pervers. Mais il n'est pas rare que la famille d'accueil ou l'institution profite de la gentillesse morbide de l'enfant pour en abuser, tout en le méprisant un peu.

Tran se demandait pourquoi il avait eu des comportements si différents selon les milieux où le sort l'avait placé. Lui, le gentil, s'étonnait d'avoir laissé échapper quelques réactions violentes dont il n'était pas fier. Une scène lui revenait sans cesse en mémoire : pourquoi avait-il été si méchant avec une éducatrice qui lui avait fait comprendre qu'elle aurait beaucoup aimé établir avec lui un vrai lien

---

63. Rosenberg B., *Masochisme mortifère et masochisme gardien de la vie*, op. cit.
64. Freud étend la notion de masochisme au-delà de la perversion sexuelle. En raison d'un sentiment de culpabilité inconscient, le sujet se fait punir, se rend victime mais n'en tire aucun plaisir. Pour J. Laplanche et J.-B. Pontalis (*Vocabulaire de la psychanalyse*, PUF, 1967), cette expression de « masochisme moral » est source de malentendus puisqu'elle n'a rien à voir avec la perversion sexuelle. Elle désigne plutôt une stratégie d'expiation mélancolique, de rachat d'une faute imaginaire. Freud parle même de masochisme maternel quand la mère éprouve du plaisir à s'occuper de son enfant !

affectif? Cette déclaration d'affection l'avait tellement angoissé qu'il avait été odieux avec elle... afin de la protéger! « Ne m'aime pas, c'est dangereux pour toi », aurait pu dire l'enfant. « En plus, tu es tellement merveilleuse que lorsque tu m'aimes tu me fais comprendre que je ne te mérite pas. Ton affection met en lumière ma médiocrité, ma dangerosité, et ça me met en colère contre toi. » Ces moments de caractère difficile ne correspondaient pas du tout au style relationnel habituel de Tran.

Trente ans plus tard, lors d'une soirée calme en compagnie de sa femme, Tran éprouva soudain pour elle un sentiment de gratitude et fut stupéfait de s'entendre dire : « Merci de m'avoir épousé. » Dans la fulgurance de la phrase, les images de ses comportements odieux avec l'éducatrice lui revinrent en mémoire et Tran comprit qu'il pouvait enfin oser être tendre avec sa femme... parce qu'il l'avait méritée ! Il avait souffert pour se rendre fort, il avait enduré un travail pénible afin de lui offrir un logement décent qu'elle avait joliment décoré. Et ce don de soi, ce bonheur qu'il avait donné en souffrant en cachette le rendait fier de lui. En surmontant la souffrance, il s'était rendu fort, et grâce à son oblativité excessive il était devenu celui par qui le bonheur arrive. Alors seulement, il a osé la tendresse avec sa femme. L'affectueuse éducatrice avait voulu l'aimer trop tôt. Au stade où il en était après le génocide, Tran n'osait pas encore aimer. Il lui fallait d'abord expier, se punir du crime qu'il avait peut-être commis en laissant assassiner sa famille. Il avait dû supporter la souffrance sans gémir, afin de se prouver sa force[65].

---

65. Waintrater R., *Sortir du génocide. Témoigner pour réapprendre à vivre*, Paris Payot, 2003.

Cette stratégie relationnelle qui mélange la souffrance avec l'affection avait été bénéfique... au bout de trente ans. Ce point de départ du travail de la résilience aurait pu être moins long et moins coûteux si son entourage institutionnel et ses familles d'accueil ne l'avaient pas freiné, si certains éducateurs n'avaient pas dit à haute voix, croyant défendre l'enfant : « Avec ce qui lui est arrivé, comment voulez-vous qu'il s'en sorte ? » La même phrase, prononcée par un ennemi, n'aurait pas eu le même impact puisque l'enfant aurait eu à cœur d'affronter ce prophète de malheur et de détruire l'image de victime qu'il venait de faire naître avec cet énoncé. La proximité affective donnait trop de poids aux mots si bien que Tran s'éloignait des aimables éducateurs qui le condamnaient en voulant l'aider. Il s'éloignait, voilà le comportement observable qui permettait de comprendre qu'en mettant l'affection à distance Tran se rendait moins vulnérable. D'ailleurs, il aimait les institutions froides où on le laissait tranquille en ne l'aimant pas trop. Mais « distance affective » ne signifie pas « mort affective ».

Les circonstances l'avaient poussé à acquérir un attachement évitant qui lui permettait de maîtriser son monde affectif. Trop de distance aurait provoqué un désespoir d'abandon, mais trop de proximité, trop de contacts physiques et trop de mots affectueux « non mérités » auraient entraîné une crispation anxieuse et un sentiment d'usurpation. On ne peut pas aimer les épouvantails. L'attachement évitant donnait à Tran une distance affective où il se sentait tranquille, c'est ainsi qu'il était bien.

L'éventail des stratégies affectives comprend la boulimie affective des hyperattachements anxieux, l'agréable dégustation des attachements sécures, l'appétit d'oiseau des attachements évitants, la fringale et le dégoût des attachements ambivalents, et le n'importe quoi des attachements confus. L'acquisition de ces styles affectifs dépend des événements qui s'inscrivent dans la mémoire et composent une représentation de soi à laquelle nous répondons.

Nous ne sommes pas maîtres du sens que nous attribuons aux choses. Nous ne sommes pas maîtres des catastrophes naturelles qui nous tombent dessus. Nous ne sommes pas maîtres de l'histoire de nos parents qui explique leurs émotions. Nous ne sommes pas maîtres des réactions de notre entourage, des récits que notre culture fait de ce qui nous est arrivé. Nous ne sommes pas maîtres des interactions précoces qui ont façonné notre tempérament et nous ont rendus sensibles à certains faits et indifférents à d'autres. Et c'est pourtant la convergence de tous ces déterminants chaotiques qui va projeter en nous le film que nous faisons de nous-même et que nous appelons « histoire de ma vie ».

Quand nous sommes effrayés par notre propre famille, quand nous sommes entravés par notre culture, la distance affective nous donne un peu de sérénité. Quand nous avons perdu notre socle de sécurité, quand nous sommes privés de ce camp de base qui nous donne la force et le plaisir d'explorer le monde, c'est le passage masochique, l'excessive oblativité qui construit une image éthique et forte et nous sert de nouvelle base de sécurité à l'intérieur de nous-même : « Je serai plus fort que les événements puisque je n'ai pas peur de la souffrance qu'ils m'infligent. » Alors l'enfant traumatisé ne se sent plus victime des circonstances, c'est lui qui, librement, affronte les épreuves, se donne confiance en lui et ose enfin rêver à un projet d'existence : le travail de résilience peut commencer.

Western ou success story ?

La résilience n'est donc pas du tout un récit de réussite, c'est l'histoire de la bagarre d'un enfant poussé vers la mort qui invente une stratégie de retour à la vie. C'est plus proche du *western* que d'une *success story*. Ce qui crée le suspense d'une histoire de vie résiliente, ce n'est pas l'échec qui est donné dès le début du film, c'est la bagarre qui s'ensuit, c'est le devenir imprévisible qui donne des solutions surprenantes, romanesques souvent.

En 1944, Georges menait une vie tranquille d'enfant caché dans une famille de braves paysans corréziens, quand des soldats de la division Das Reich sont entrés chez les Lagier[66]. Il n'a pas eu peur quand les SS ont exigé de la nourriture. Il leur a donné les œufs que l'on met dans les poulaillers pour inciter les poules à pondre. Ces œufs « gardeniou » (garde-nids) sont toujours pourris. Les soldats ont dû s'en rendre compte lorsqu'ils les ont cassés avant de les manger. L'enfant était fier de son acte de résistance, jusqu'au jour où il entendit parler d'Oradour-sur-Glane[67] dont tous les habitants ont été enfermés dans l'église incendiée par des SS furieux. On eut beau expliquer à Georges

---

66. Ghelman G., *La Passion d'un survivant*, manuscrit non publié, p. 68.
67. Wilmart M., Follin M., *Oradour*, film, 1988, Grand Prix du ministère de la Culture 1989 : le 10 juin 1944, 240 femmes, 205 enfants et 197 hommes ont été raflés dans le village par la division SS Das Reich en retraite. Enfermée dans l'église, pratiquement toute la population a été brûlée vive. Et film de Desoutter M., Ramamonjiarisoa L., *Oradour. Les voix intérieures*, 2008.

que c'était une autre partie de la *Panzerdivision* venue de Montauban qui avait commis ce crime, il demeura pendant des années convaincu qu'il était responsable de cet énorme massacre parce qu'il avait mis les soldats en colère en leur donnant des œufs pourris. Le petit garçon devint triste, manifesta moins d'élan vers ses compagnons et devint douloureusement gentil : « J'avais tout le temps peur de faire du mal. J'en ai déjà tellement fait dans mon enfance. » De tels souvenirs donnent une forme imagée à la culpabilité, ils expliquent les comportements d'expiation mais empêchent la découverte d'autres souvenirs inconscients.

Je parlais de ça à Hanoï[68] avec une jeune Vietnamienne dont la jambe avait été arrachée par une mine. Pour elle, le coupable était clairement le gouvernement américain qui avait fait poser des mines au moment de la retraite de ses troupes. Elle considérait que ce très grave accident n'était pas un traumatisme puisque sa personnalité n'avait jamais été déchirée ni agonique, même aux pires moments de sa souffrance. Pour elle, il y avait un agresseur et une innocente mutilée, c'est tout.

Un événement ne prend pas du tout la même signification selon le réseau relationnel dans lequel il s'inscrit : « Le rôle des autres est central dans la réponse des victimes[69]. » Hélène avait treize ans en 1942 à Paris pendant la Seconde Guerre mondiale. Le bonheur de son enfance dans une famille juive cultivée et intégrée s'est assombri d'un seul coup, le jour où sa mère a entrepris de coudre une étoile à

---

68. Nguyen Tan Loc, Cyrulnik Boris, Barte Nhi, *Cultures et santé mentale*, Hanoï, 26 juillet 2007.
    69. Jordan J. U., « Relational resilience », *in* J. U. Jordan, M. Walker, L. Hartling (éds.), *The Complexity of Connection*, New York-Londres, The Guilford Press, 2004, p. 37.

six branches sur sa robe. Hélène s'y était vivement opposée en disant qu'elle refusait de se soumettre aux Allemands. Un soir, un policier en civil est venu les prévenir qu'il avait reçu l'ordre de faire une rafle. Il fallait s'enfuir. Hélène, très angoissée, a attrapé son petit frère et s'apprêtait à se réfugier chez une voisine pendant que sa mère préparait une valise. En descendant les escaliers, la grande fille croise la police venue les arrêter. Elle pense en un éclair qu'elle doit remonter pour prévenir sa mère : c'est trop tard. Crier alors ? Elle serait arrêtée avec le bébé. Sa robe ne porte pas d'étoile. Hélène, sans dire un mot, descend et s'enfuit avec le nourrisson. Mais, toute sa vie, cette scène s'est imposée dans sa mémoire : « Si j'avais crié, ma mère ne serait pas morte... j'ai méprisé mes parents parce qu'ils portaient l'étoile... je les ai abandonnés... » Les conditions de son sauvetage prenaient dans sa mémoire la signification d'une trahison, d'un abandon par égoïsme : « Jamais je n'oserai avouer ce que j'ai fait pour survivre. » La honte la faisait taire, la culpabilité la faisait expier. Le scénario de son sauve-qui-peut donnait une représentation d'elle-même dégoûtante : « Je survis parce que je suis lâche... Je ne pense qu'à moi, c'est pour ça que j'ai laissé mourir ma mère. » Pendant des années, Hélène s'est tenue à l'écart. Elle parlait peu, évitait les regards et refusait toutes les invitations, surtout celles qui lui faisaient plaisir. Elle expliquait sa peur du bonheur, ses stratégies d'échec et ses comportements autopunitifs par cette scène fondatrice où, en ne criant pas pour prévenir sa mère, elle s'était faite complice de sa mort. Jusqu'au jour où, trente ans plus tard, une voisine a rendu à Hélène les meubles que le gouvernement de Vichy l'avait autorisée à acheter à un prix dérisoire, dans le cadre de la politique de « l'aryanisation des biens juifs ». Derrière un tiroir, la petite fille avait caché un carnet où, chaque soir, elle écrivait son journal intime. Trente ans plus tard, Hélène stupéfaite a pu lire que, dès l'âge de huit ans, elle qui faisait rire tout le monde, elle qui inventait sans cesse des saynètes pour faire plaisir aux autres, rêvait déjà de se sacrifier ! Cinq ans avant l'arrestation de sa mère et la honte qui s'ensuivit, Hélène avait déjà honte d'« avoir envie d'être heureuse ». Elle découvrit alors quelques souvenirs enfouis quand, petite fille bien élevée, elle jouait joliment du piano, mais s'y refusait en public par crainte d'humilier ceux qui ne savaient pas. Une tendance masochique structurelle proche de la mélancolie commençait à se développer. Probablement Hélène se serait sentie coupable et honteuse d'aspirer au bonheur même s'il n'y avait pas eu la guerre. Elle se serait punie par peur de faire du mal aux autres, même si sa mère n'avait pas été déportée « à cause d'elle ».

Le petit Georges se sentait coupable du massacre d'Oradour, comme souvent les enfants, dans leur pensée magique, croient être la cause de la maladie de leur mère ou de la foudre qui a mis le feu à la grange parce qu'ils ont désobéi. Hélène se punissait d'avoir été complice de la mort de sa mère, comme déjà avant la guerre elle se punissait d'être heureuse quand tant d'autres souffraient.

Le traumatisme est trop explicatif. Quand on lui attribue tout ce qui arrive par la suite, quand on éclaire trop un événement tragique, on met dans l'ombre le développement structurel qui se préparait déjà. Dans les deux cas, une culpabilité consciente avait entraîné des scénarios autopunitifs qui soulageaient les enfants. Mais, pour Georges, le masochisme conjoncturel a été momentané. Il s'est même effacé plus tard quand, devenu expert de la tragédie d'Oradour, Georges s'est engagé dans la recherche des archives de la Shoah[70]. Alors qu'Hélène a organisé sa vie autour d'une stratégie relationnelle qui, avant le trauma, érotisait déjà la souffrance.

La souffrance est là, faut-il l'aimer ?

Le problème est ainsi posé : face à la perte, l'adversité et la souffrance que nous rencontrons tous un jour ou l'autre au cours de notre existence, plusieurs stratégies sont possibles. On peut s'abandonner à la souffrance, rechercher l'indifférence ou faire une carrière de victime. Ces solutions sont antirésilientes puisque tout projet de développement en sera arrêté. À l'opposé, faire quelque chose de sa souffrance, se servir de la contrainte à comprendre pour la transcender et en faire un projet social ou culturel constitue un tremplin de résilience.

Masoch structurel va chercher la souffrance pour l'érotiser, alors qu'il pourrait ne pas souffrir. Tandis que Masoch conjoncturel fait quelque chose de la souffrance qui lui est tombée dessus. Georges n'avait pas peur du bonheur quand la tragédie d'Oradour l'a culpabilisé. Alors qu'Hélène éprouvait déjà cette inversion curieuse qui lui donnait la permission d'accéder au bonheur à condition de souffrir d'abord. Il s'agit de deux stratégies cousines face à la souffrance, mais quand Georges éprouve le plaisir d'en triompher, Hélène a déjà pris l'habitude de l'aimer.

---

70. Prix Corrin pour l'enseignement de l'histoire de la Shoah.

Qu'il s'agisse du masochisme sexuel ou de son cousin le masochisme moral, on remarque toujours une stratégie de même type.

• Elle est interactive : dans les petits comportements de la vie quotidienne, il s'agit de s'effacer devant l'autre, se taire quand elle parle, s'empresser d'obéir au moindre de ses gestes sans même qu'elle ait besoin de commander.

• Elle est relationnelle : tous les choix de la vie ne sont faits qu'en tenant compte des désirs de l'autre, là où il veut habiter, où il aime passer ses vacances.

• Elle est existentielle : Masoch ne peut donner sens à sa vie que par le bonheur de l'Autre, seul compte son plaisir.

« Quand le chevalier Richard von Krafft-Ebing eut le courage de considérer les tendances perverses comme une maladie et non plus comme un vice[71] », il s'inspira d'un écrivain viennois encore vivant à l'époque, le chevalier Leopold von Sacher-Masoch. Freud s'est emparé de ce nom pour en faire un concept fondamental de sa théorie sexuelle[72] désignant la jouissance provoquée par la souffrance ou l'humiliation. Très rapidement, il a étendu cette notion de masochisme sexuel au comportement normal de tous les petits enfants et au masochisme moral qui plaît tant aux femmes[73], ce qui aujourd'hui ne plaît pas du tout aux féministes. Le concept a été vulgarisé de manière ridicule, en mettant en scène un homme riche habillé comme un laquais, à quatre pattes pour se faire fouetter

---

71. Moron P., « Masochisme », in P. Brenot (dir.), Dictionnaire de la sexualité humaine, Bordeaux, L'Esprit du Temps, 2004, p. 392-394.
72. Freud S. [1905], Trois essais sur la théorie de la sexualité, Paris, Gallimard, 1949.
73. Freud S., « Le problème économique du masochisme », Revue française de psychanalyse, 1928, n° 2, p. 211-223.

par une prostituée. De tels jeux sexuels existent, mais en fait, quand vous rencontrerez Masoch, vous l'admirerez! Il est tellement aimable et tellement courageux que vous le trouverez attachant. Vous ne savez pas encore quelles souffrances vous aurez à lui infliger afin de l'autoriser à passer à l'acte, à vous inviter, à vous courtiser et à vous faire l'amour.

Généralement les petits Masochs, comme les petits Sades, ont été bien élevés. Ils viennent d'une famille aisée, cultivée, structurée par des parents aimants et bien socialisés. Et pourtant, un appauvrissement affectif a altéré le développement de leur empathie. C'est le même schéma que pour les futurs terroristes, les bourreaux sociaux et les penseurs extrémistes. Darquier de Pellepoix, commissaire aux affaires juives de 1942 à 1944, a été bon élève entouré par une mère aimante et un père maire de Cahors[74]. Pratiquement tous les bourreaux de Nuremberg ont reçu une bonne éducation dans une famille aimante[75]. Le petit Leopold von Masoch, né en 1836, dans une Europe centrale où les nationalismes étaient confus et exacerbés, a eu une enfance heureuse à Prague dans les belles maisons que ses parents possédaient. Son père, haut fonctionnaire riche et cultivé, se déplaçait beaucoup en compagnie de sa femme et de serviteurs dévoués et respectés. Ce père puissant avait été tolérant envers les frasques généreuses de son fils quand le petit Léopold, âgé de douze ans, avait volé au secours des minorités opprimées en montant sur les barricades de Prague (1848), en côtoyant les chanteurs juifs de Pologne et les chasseurs de Kouloumea qui tuaient l'ours

74. Callil C., *Bad Faith. A Forgotten History of Family and Fatherland*, op. cit.
75. Goldensohn L., *The Nuremberg Interviews*, op. cit.

à l'arme blanche pour mieux se blottir contre le corps de l'animal qu'ils poignardaient[76].

Son éducation sentimentale commença à l'âge de quatorze ans lorsque Adela, sa ravissante institutrice, vêtue d'une veste brodée de fourrure (une *kazabaïka*), se laissa emporter par la fureur : « Plus Adela se fâchait contre moi... plus j'étais absorbé par mon admiration... pour punition, elle m'ordonna de me mettre à genoux... j'éprouvais de la honte et en même temps j'étais heureux... mais je l'eusse été bien davantage, s'il m'eût été permis de baiser son petit pied dont la pointe battait la charge dans un adorable accès de colère[77]. » Plus tard, dans ses romans, Masoch met en scène des scénarios érotiques où il demande à sa maîtresse « drapée dans une splendide veste de soie rouge, richement brodée d'une hermine princière[78] » : « Maltraite-moi, pour que je puisse supporter mon bonheur... foule-moi aux pieds... fouette-moi, si cela te fait plaisir. » Le bonheur est insoutenable quand tant d'autres souffrent. Mais si par bonheur je souffre moi aussi, j'aurai payé, j'aurai le droit d'avoir accès à ton corps dont la merveille m'angoisse. Masoch écrit : « Tous mes romans... sont nés de ma vie, baignés du sang de mon cœur[79] », avouant presque qu'il met en scène son propre fantasme. Comme pour Hélène qui s'empêchait d'être heureuse et se faisait souffrir pour se mettre au niveau rédempteur de ceux qui souffraient vraiment, la punition rendait son bonheur supportable.

---

76. Sacher-Masoch L., *Histoires galiciennes. Don Juan de Kolomia*, Paris, Club français du livre, 1963.
77. Michel B., *Sacher-Masoch, 1836-1895*, Paris, Robert Laffont, 1989, p. 46.
78. *Idem*, p. 155-156.
79. *Idem*, p. 8.

On peut parler de perversion puisque l'un des deux termes de la relation n'est pas considéré comme une personne. La souffrance fascinait tellement Hélène et Léopold qu'ils en étaient arrivés à penser qu'il leur fallait souffrir pour mériter le bonheur ! Pour Tran et pour Georges, les cousins masochiques moraux, seul aussi compte l'Autre. Le traumatisme les ayant mis en agonie psychique, seul l'Autre reste vivant, seul l'Autre existe. Dans les deux cas, il y a une malformation de l'empathie : « Je ne me sens exister que par le plaisir de l'Autre », pense le Masoch développemental. Alors que le Masoch traumatisé dit : « Seul l'Autre existe puisque moi, je suis un épouvantail, un presque mort. »

Combattre la désolation

Ne croyez pas que ces phrases sont des figures de rhétorique. Après un attentat, quand le monde des traumatisés est anéanti par un événement impossible à penser, seul le monde de l'Autre est encore perçu : « Je vois bien que vous êtes vivant puisque j'entends vos mots et vois vos gestes. Mais moi, je ne sens rien, je ne suis pas certain d'être vivant, un pantin qui parle, tout au plus. »

Il existe en psychiatrie des personnes tellement malheureuses et depuis si longtemps que leur isolement sensoriel a fini par ne plus stimuler leur cerveau des émotions. L'âge, les épreuves répétées et surtout l'appauvrissement du milieu finissent par provoquer une atrophie de l'hippocampe (cerveau des émotions) et de ses connexions préfrontales[80]. Ces personnes-là n'éprouvent plus d'émotions et n'ont plus de sensations corporelles, puisque la partie du cerveau qui traite ces informations est atrophiée par l'isolement. Dans le syndrome de Cottard qui désigne ce trouble, ces personnes commencent par dire : « Je n'ai plus d'estomac puisque je n'ai plus faim. » Puis elles ajoutent : « Je n'ai plus de cœur, puisque je n'ai plus d'émotions. » Jusqu'au moment où elles affirment comme une évidence : « Je n'existe pas puisque je ne me sens pas vivre. » L'impression de ne plus avoir de corps, provoquée par une représentation de soi-mort, est fréquente chez les enfants abandonnés et les adultes isolés sensoriellement.

Juste avant que la rafle emmène sa famille en 1942, une voisine avait pris chez elle le petit Raymond âgé de six ans. À l'école, il aurait été arrêté et déporté. Il ne pouvait même pas aller chercher le lait parce qu'un voisin l'aurait dénoncé. Comme cette dame vivait seule, travaillait loin de son domicile et Raymond n'ayant plus de famille, elle décida d'aménager une pièce confortable pour l'enfant. Raymond ne savait ni lire ni écrire puisqu'il n'avait jamais pu aller à l'école. À cette époque, il n'y avait ni télévision ni même de radio. L'appartement se vidait le matin quand la voisine partait travailler et redevenait un peu vivant le soir. L'enfant, pendant sept mois, s'est retrouvé placé dans une situation d'isolement sensoriel presque total. Pour lutter contre le vide mortel, l'enfant se mit à courir autour de la table afin de se donner une illusion de vie. Après quelques mois, il se contenta de tourner sur lui-même, puis il regarda ses doigts bouger devant ses yeux, puis il se coucha

---

80. Radchenko A., Allilaire J.-F., « Neuroplasticité et dépression : états des lieux », *Neuronale*, mai-juin 2007, n° 31.

pour se lécher les genoux, pendant des heures. Il n'avait que ça à faire. Au bout de sept mois, il ne parlait pratiquement plus, il marchait à peine, ne savait plus courir et s'intéressait vaguement aux bruits qu'il percevait au loin mais qui n'avaient plus de signification pour lui. Raymond avait l'apparence d'un enfant autiste quand la voisine parvint à le confier à l'Assistance publique sous un faux nom. Il n'était pas intéressant pour ses compagnons d'infortune puisqu'il ne savait ni jouer ni parler. Une enveloppe sensorielle s'est rétablie lentement grâce à la vie courante de l'institution : les bruits, le rythme des repas, la présence des adultes et le tourbillon des enfants. Raymond cessa de tournoyer et de se lécher les genoux. Il aimait les promenades en groupe, il était rassuré par la marche cadencée où tous les enfants en même temps tapaient du pied sur le sol. Il aimait la cape bleue et le grand béret des gosses de l'Assistance qui lui donnaient au moins une identification : « Je marche au pas avec les autres et l'on voit bien que je suis de l'Assistance. » La vie revenait en lui. La résilience à ce stade du processus était surtout biologique, les comportements autocentrés avaient disparu, un début de vitalité revenait en lui. La braise de résilience psychologique qui s'amorçait prenait la forme curieuse d'un enfant fier de porter la cape des enfants abandonnés. Au moins, il appartenait à un groupe. La plupart de ses compagnons détestaient la cape qui révélait qu'ils n'appartenaient plus à leur famille. L'histoire de chaque enfant attribuait déjà des significations différentes au même objet.

Quoique bien étayé par le groupe qui le dynamisait comme une néobase de sécurité, Raymond commençait à manifester des comportements étranges. Il allait au-devant des coups sans dire un mot, en souriant. Non seulement au cours des petites bagarres d'enfants ou au-devant des colères d'adultes, mais aussi en s'exposant à tous les dangers. Alors que le maréchal-ferrant se plaçait sur le côté du cheval afin d'éviter la ruade, Raymond se mettait derrière, à la plus petite distance possible des sabots de l'animal. Il s'appliquait, en traversant la route, à se faire frôler par les voitures qui recommençaient à circuler après la guerre. Jusqu'au jour où, en s'approchant trop près d'un vélo, il le fit chuter. Quand le cycliste se releva à peine blessé, il se mit à crier après l'enfant et tout le monde fut étonné de voir que, face à la menace, Raymond souriait !

Bien plus tard, comme Raymond s'étonnait de son comportement, il se rappela que pendant plusieurs années après son isolement sensoriel il était convaincu d'être un épouvantail et non pas un véritable enfant. Il se faisait de lui-même l'image d'un pieu en bois en guise de corps, avec une branche à la place des bras, une boule de paille pour la tête, un vieux manteau déchiré et un chapeau écrasé afin de donner au pantin l'apparence d'un homme à faire peur aux oiseaux. Il était un épouvantail. Les autres se trompaient en le prenant pour un homme. Ils étaient vivants, eux, puisqu'ils savaient agir et s'entourer de mots alors que Raymond, lui, n'avait plus couru ni prononcé une seule phrase depuis des mois.

Privé d'altérité, il ne pouvait pas savoir qui il était. Privé de l'image qu'auraient dû lui renvoyer les autres, il ne pouvait pas savoir comment il était. Alors, il s'identifiait à un épouvantail qu'il avait vu dans un champ et dont l'image correspondait à la représentation qu'il se faisait de lui-même. Mais comme il éprouvait l'étrange sensation que la vie revenait en lui et comme il n'en était pas sûr, il lui fallait des preuves. Alors, il se mettait à l'épreuve de la vie ou de la mort car il ne faisait pas clairement la différence. « C'est comme si je n'avais plus de corps... ou je suis plein de vide », disent tous les enfants que les tragédies de l'existence ont placés dans des situations d'isolement sensoriel. Comment fait-on pour savoir qu'on est vivant quand il n'y a pas d'autre pour en fournir la preuve ? C'est pourquoi, chaque fois que le maréchal-ferrant se fâchait contre l'enfant en lui disant qu'il était idiot de se mettre à portée des sabots du cheval, chaque fois qu'un adulte l'injuriait ou emporté par la colère le secouait, Raymond souriait, heureux d'avoir enfin la preuve qu'il n'était pas un épouvantail. « Quel bonheur de souffrir ! Ceux qui m'insultent ou me frappent me rassurent en me donnant la preuve que j'existe pour eux. Leur colère témoigne de l'attention qu'ils ont pour moi. On ne se met pas en colère contre un épouvantail, on le casse ou on le change, c'est tout. »

La longue privation d'autrui avait construit dans le monde mental de l'enfant une représentation de lui-même comme une chose, un pantin. On peut dire qu'il s'agit d'une représentation perverse puisque l'un des deux termes de la relation n'est pas une personne. Mais on devrait plutôt parler de représentation pervertie par une situation sociale, politique, familiale ou accidentelle. Le masochisme moral « gardien de la vie[81] » joue un « rôle contre-dépressif comme on le voit dans les psychoses froides enkystées[82] ». Malgré une apparence normale, toute une zone de la personnalité « fonctionne comme une psychose

---

81. Racamier P.-C., *Les Schizophrènes*, Paris, Payot, 1980.
82. Kestemberg J., « À propos de la relation érotomaniaque », *Revue de psychanalyse*, 1962, 26 (5), p. 533-1004.

réversible... chez des enfants que l'isolement peut conduire à un apragmatisme majeur[83] ».

Cette stratégie de conquête d'altérité permet à l'épouvantail de redevenir un homme. Mais, dans ce cas, c'est un moment de masochisme moral qui tricote le premier nœud du lien d'un processus résilient. Quand le contexte affectif ou culturel maintient l'isolement, l'enfant reste à l'état d'épouvantail, comme un mélancolique vidé de son monde intime, agonique sans autrui. Mais dès qu'on lui propose une rencontre, l'isolé commence par surinvestir l'Autre. Parfois même, seul compte l'Autre. Puis, peu à peu, on voit se tisser un lien d'attachement moins dépersonnalisant et la relation pervertie s'efface.

Une gentillesse morbide

Ce retard de l'empathie s'observe régulièrement lors des appauvrissements affectifs[84]. Alors, vous pensez bien que, lors des isolements sensoriels, c'est à partir d'une mélancolie néantisante qu'il faudra retisser un lien.

Le masochisme sexuel est une empathie de prédateur. Masoch, tout autant que Sade, gouverne l'autre et le manipule pour son propre plaisir. Mais, quand le masochisme sexuel est une relation perverse où l'on jouit de l'autre-proie, le masochisme moral est une relation pervertie où l'on paie le droit de redevenir humain par un terrible don

83. Cahn R., Bursztein C., « Psychose de l'adolescent. Psychose de l'enfant », in D. Houzel, M. Emmanuelli, F. Moggio, *Psychopathologie de l'enfant et de l'adolescent*, Paris, PUF, 2000, p. 583-586.
84. Pears K. C., Fisher P. A., « Emotion understanding and theory of mind among maltreated children in foster care : evidence of deficits », *Development and Psychopatholy*, Cambridge University Press, 2005, 17, p. 47-65.

de soi. On demande l'aumône d'une relation. Le trauma a perverti le sujet en le rendant agonique. Et pour sortir de son coma psychique, le blessé, revenant à la vie, ne perçoit que l'autre en lui, comme lorsqu'il était nourrisson. Le trauma a changé la direction de son développement, lui a imposé une stratégie relationnelle qui s'effacera au fur et à mesure de son évolution résiliente. On peut donc parler de bouleversement existentiel, mais certainement pas de « névrose de destinée [85] ». Le fracas traumatique suivi de résilience change le cours de l'histoire, mais ne se caractérise pas « par le retour périodique d'événements malheureux auxquels le sujet paraît soumis, comme à une fatalité extérieure [86] » qui définit la névrose de destinée.

Un jour Balzac a rencontré un masochique qu'il appela « Le père Goriot [87] ». Cet homme disait de lui-même : « Je ne suis rien... je suis un méchant cadavre... », rappelant ainsi les enfants isolés qui se comparent à un épouvantail. Son courage anormal lui avait permis de faire fortune en fabriquant des vermicelles. N'ayant pas de relations affectives avec ses clients, il était dur en affaires, mais incroyablement tendre à la maison où il vénérait ses filles : « Je les ai gâtées... je les ai habituées à me fouler aux pieds [88]. » Son âme morte avait retrouvé le goût de vivre quand il s'était marié. Mais sa femme n'avait pas eu le temps de l'aider à tricoter une résilience. Au contraire même, en mourant trop tôt, elle l'avait laissé seul avec ses filles Anastasia et Delphine. Le père, anéanti, les avait surinvesties puis-

85. Rubin G., *Le Sadomasochisme ordinaire*, Paris, L'Harmattan, 1999, p. 17.
86. Laplanche J., Pontalis J.-B., *Vocabulaire de la psychanalyse*, Paris, PUF, 1967, p. 279.
87. Balzac H. de, *Le Père Goriot*, 1834, exemple analysé *in* Rubin G., *Le Sadomasochisme ordinaire*, Paris, L'Harmattan, 1999, p. 42.
88. Rubin G., *Le Sadomasochisme ordinaire, op. cit.*, p. 133.

qu'elles étaient les seuls objets d'amour dans son désert affectif : « Goriot mettait ses filles au rang des anges... Il aimait jusqu'au mal qu'elles lui faisaient[89]. »

Clivé par ses malheurs, ange docile à la maison, démon tueur dans la société, il apprenait à ses filles à devenir sadiques. En se soumettant à ses enfants, il les habituait à recevoir sans même chercher à connaître le nom de celui qui donnait. L'histoire et la personnalité du donneur (je n'ose pas dire du père) ne les intéressaient pas. Celui qui donnait en s'effaçant rendait inutile l'empathie de ses filles. Il leur enseignait à recevoir dans un scénario pervers, sans relation. Si le père Goriot avait eu la force d'envelopper ses cadeaux avec des récits, il aurait aidé ses filles à découvrir que ces objets venaient du travail et de l'amour d'un père. Dans l'instant de sa réparation narcissique (être celui par qui le bonheur arrive), le père Goriot éprouvait le plaisir de vivre parce qu'il faisait plaisir à un Autre. Cette stratégie masochique le sortait de sa mélancolie, mais le dépersonnalisait pour le bonheur d'un Autre : « Je n'ai point froid si elles ont chaud, je ne m'ennuie jamais si elles rient. Je n'ai de chagrin que les leurs[90]. »

« Et vous, alors, monsieur Goriot ? Vos filles auraient aimé avoir un vrai père ! En ne leur donnant qu'une ombre à aimer vous les avez privées de père. » À force de se dépouiller en vendant ses biens, puis sa vaisselle, puis ses vêtements pour leur donner de l'argent, le père Goriot sur son « galetas » offrait à ses compagnons de misère l'image d'un imbécile relationnel, un pauvre type, un gogo, un pigeon affectif. Il ne savait pas se faire aimer autrement, il

89. Rubin G., *Le Sadomasochisme ordinaire*, op. cit.
90. Rubin G., *Le Sadomasochisme ordinaire*, op. cit.

n'aurait pas osé, il aurait même été angoissé par une déclaration d'amour de ses filles. Lui qui se sentait à l'aise en se soumettant, en donnant en cachette de façon à ne pas gêner ceux qui recevaient, se transformait en carpette affective : « ... Je les ai habituées à me fouler aux pieds. »

L'histoire de Goriot avait perverti cet homme en ne lui laissant que cette possibilité d'aimer. Le contexte avait structuré une relation dépersonnalisée-dépersonnalisante où l'amour sans limites du père avait donné à ses filles un pouvoir d'emprise sadique.

Le simple fait d'être parent nécessite une forte dose d'oblativité : « Mon bébé passe avant moi... je me sens tellement bien quand je le vois bien. » Cet agréable don de soi n'est pas une perversion puisqu'une limite est tracée, comme si le parent disait : « Ça me rend heureux de te rendre heureux, mais tu ne peux pas tout exiger. » Le parent qui adopte une telle stratégie affective assume son rôle de base de sécurité en empêchant l'emprise totalitaire de ceux qu'il aime : « Tu ne peux pas tout me demander, tu ne peux pas te transformer en tyran affectif. »

Quand arrive l'âge de la sexualité, l'énoncé de l'interdit prend un effet tranquillisant : « Une limite entre ma mère et moi, en empêchant de satisfaire tous mes désirs, me pousse à l'autonomie. Je vais chercher ailleurs ce qu'elle ne peut me donner. » La mère de Vincent faisait tout pour son grand garçon. D'ailleurs, elle vivait une situation comparable à celle du père Goriot. Elle avait cru sortir d'une enfance très dure grâce au dévouement et à la force de son mari. Mais quand elle s'était retrouvée veuve après quelques années de mariage, c'est son petit garçon de deux ans qui lui avait permis de ne pas retomber dans le néant mélancolique de son enfance. Pour son propre bien-être, elle s'était entièrement consacrée à lui. Elle ne l'embêtait pas avec ses difficultés au travail, elle ne lui parlait pas de son histoire, ni du père disparu, pour ne pas assombrir la gaieté de l'enfant. Elle donnait en s'effaçant. Vers l'âge de treize ans, Vincent devint pourtant malheureux à cause de l'angoisse qu'il éprouvait chaque fois que sa mère lui donnait son bain. Le comble fut atteint le jour où il eut une érection. Affolé de rage et d'angoisse, tout de suite après le bain, il s'empressa de se souiller. D'abord en s'enduisant de terre, puis en remettant ses vêtements sales, puis en rencontrant des copains en détresse comme lui, puis en se mettant dans des situations sociales marginales, puis en dormant dehors, par terre dans la rue afin de se clochardiser. Ces scénarios de dégradation lui donnaient l'impression d'annuler la gentillesse terrifiante de sa mère. La mise en scène de sa souillure en annulant la proximité incestueuse constituait une tentative d'autonomie. Le don de soi pervers de sa mère, en ne tenant pas compte du monde psychique du grand garçon, avait provoqué en guise de réaction de défense de l'adolescent une libération morbide.

Les filles du père Goriot en le ruinant sans scrupule répondaient au scénario paternel du pigeon affectif, tandis que Vincent en se souillant avec rage tentait d'annuler les toilettes incestueuses de sa mère : « Un excès de tendresse parentale était devenu nuisible et avait " gâté " l'enfant[91]. » Les cajoleries des parents sont nécessaires pour constituer l'enveloppe sensorielle qui sécurise et dynamise l'enfant. Mais lorsque cette tendresse est le résultat de la déperson-

---

91. Chasseguet-Smirgel J., *Commentant Freud. Éthique et esthétique de la perversion*, Seyssel, Champ Vallon, 1984, p. 29.

nalisation masochique d'un parent, elle devient nuisible au développement de l'enfant.

Les pervers moralisateurs

Ce qui se transmet dans ces scénarios comportementaux peut aussi se repérer dans le langage. D'ailleurs, les pervers sont souvent présentés comme d'« austères moralisateurs sans la moindre allusion érotique[92] ». *La Nouvelle Justine ou les Malheurs de la vertu* a souvent été cité comme un livre de morale dénonçant l'injuste répression des vertus dans la société française du XVIIIᵉ siècle. « La chasteté, le refus de voler, de s'associer à une bande de malfaiteurs, de se prêter à un empoisonnement, de s'opposer à une dissection sur une fille vivante, la piété, la bienfaisance[93] », toutes ces bonnes actions sont cruellement punies par la société, nous explique Sade. Jean-Jacques Rousseau, qui découvre le plaisir sexuel en recevant une fessée, est ébloui par la lecture du « Prix de Morale pour l'année 1750 », qui soutient que les progrès des sciences et des arts participent à la pureté des mœurs[94]. Masoch consacre toute sa vie à découvrir les cultures de minorités et à secourir les opprimés, au point qu'il fut considéré comme juif par la Gestapo[95] tant il avait été scandalisé par les pogroms de la Petite Russie. Auteur célèbre en France,

---

92. Deleuze G., *Présentation de Sacher Masoch*, Paris, Éditions de Minuit, 1967, p. 8.
93. Lely G., *Sade*, Paris, Gallimard, coll. « Idées », 1967, p. 231.
94. Marty O., *Rousseau de l'enfance à quarante ans*, Paris, Nouvelles Éditions Debresse, 1975, p. 280.
95. Michel B., *Sacher-Masoch, 1836-1895, op. cit.*

il fut honoré par *Le Figaro* et *La Revue des Deux Mondes* en 1886, en tant que « moraliste sévère[96] ».

Le langage du pervers est celui d'une merveilleuse victime[97]. Sade décrit la beauté de l'horreur qu'il éprouve devant l'effraction des corps, les grimaces des filles tordues de douleur après avoir avalé des bonbons à la cantharide. Alors que le bourreau fonctionnaire (qui n'est pas pervers) parle la langue froide de l'administration, Masoch exprime la « sensualité démoniaque » de ceux qui savent jouir de la souffrance. Jamais un exécuteur ne parle comme une victime, puisqu'il ne se met pas à sa place. L'empathie de Sade est celle d'un prédateur qui ne voit de sa proie que ce dont il peut profiter. Sade, enfant bien élevé, n'est jamais devenu pervers puisqu'il lui a suffi de le demeurer. À un stade où les « enfants gâtés[98] » ne perçoivent des autres que ce dont ils profitent, ils développent une empathie partielle analogue à celle d'un prédateur. L'empathie dépersonnalisante de Masoch qui jouit de faire jouir l'Autre n'a rien de commun avec l'absence totale d'empathie du bourreau fonctionnaire pour qui un seul monde compte, celui de l'ordre établi. Souvent dans les perversions sans acte sexuel, la jouissance passe par le langage : « C'est à c't'heure qu'on arrive ? », dit le petit chef qui jouit de son méchant pouvoir. « Je fais de toi celle à qui je donne tous les pouvoirs sur moi », dit Masoch à Wanda, comme à toute femme qui voudra bien être nue sous un manteau de

96. Deleuze G. (1967), « Avant-propos », *Présentation de Sacher Masoch*, Paris, Union Générale d'Édition, p. 6.

97. Bataille G., *L'Érotisme*, Paris, Éditions de Minuit, 1957, p. 209-210.

98. Freud S. [1905], « Trois essais sur la théorie de la sexualité », *in* J. Laplanche, J.-B. Pontalis, *Vocabulaire de la psychanalyse*, Paris, PUF, 1973, p. 307-308.

fourrure. Le simple énoncé de la phrase « Fais de moi ce que tu voudras » est déjà un plaisir sexuel.

Le bourreau administratif, en obéissant à un papier, gèle toute émotion afin de participer à la mécanique admirable de sa hiérarchie. Il fait son boulot, c'est tout, il ne cherche surtout pas à connaître la victime qui n'est pas sa victime. Cet anonymat de la relation se traduit par le simple tatouage d'un numéro sur l'avant-bras de celui (ou celle) que la société condamne. Le bourreau administratif tue sans culpabilité puisqu'un numéro n'est pas un être humain. Il fait son travail puis rentre chez lui, c'est là qu'il jouit de la vie.

Masoch vénère le tabouret sur lequel « Elle » s'est assise. Sade pense qu'un trou est un trou et que les femmes sont d'agréables tubulures. Et le bourreau ne sait même pas qu'il y a des victimes. Pour lui, seuls comptent les papiers où sont écrites les consignes qu'il doit suivre afin que l'ordre règne. Dans tous ces cas, l'Autre n'est pas une personne. Or : « Tout homme qui n'a pas besoin des autres peut froidement détruire tous les principes moraux[99] »... au nom de la morale !

La signification du mot « pervers » dépend de son contexte

Les mots sont des organismes vivants qui évoluent quand change le contexte culturel. Au XIIe siècle, quand le mot « pervers » a été mis au monde, il désignait un retournement, une inversion de l'ordre de Dieu qui régnait sur les hommes et la nature. La sodomie, empêchant l'ordre natu-

---

99. Pauvert J.-J., *Osons le dire. Sade*, Paris, Les Belles Lettres, 1992, p. 39.

rel de la reproduction, a obsédé le Moyen Âge chrétien, puis l'onanisme fut l'idée fixe des hygiénistes et des moralisateurs du XIXᵉ siècle. « L'enfant masturbateur, l'homosexuel et la femme hystérique » furent donc les cibles de ces bien-pensants[100].

Aujourd'hui, le mot « perversion » a disparu des classifications psychiatriques[101], mais les récits de notre culture éthique s'indignent de l'abjection des paraphilies incestueuses et pédophiles. Parler de ces horreurs est une manière d'en jouir par le langage, comme nous l'ont expliqué Sade et Masoch. Sans oublier que c'est un récit culturel, un stéréotype, un préjugé qui définit la perversion et s'en indigne vertueusement.

La tendance actuelle consiste à séparer les paraphilies et la perversion. Il y a des paraphilies criminelles, comme lorsqu'un enfant est détruit par l'inceste ou la pédophilie, il y a donc des paraphilies non criminelles. Faut-il aller au commissariat pour dénoncer un fétichiste bouleversé par la bottine de sa bien-aimée ? Faut-il déposer plainte quand un maçon rustique, fatigué par sa dure journée, se détend en enfilant une jolie robe de dentelle ? Faut-il mettre en prison les femmes qui portent des pantalons ?

On explique mal le mystère du désir sexuel, cet intense appétit de morceaux du corps d'un autre (les lèvres, les fesses, les mains). On comprend mal les prémices souvent surprenantes : certains ont soudain envie de tirer la langue et se sentent agressifs, d'autres ont les dents agacées ou sont alanguis, certains frémissent entre les épaules,

100. Roudinesco E., *La Part obscure de nous-mêmes. Une histoire des pervers*, Paris, Albin Michel, 2007.
101. Nomenclature internationale : Diagnostic and Statistical Manual of Mental Disorders (DSM).

d'autres ressentent une crispation dans les reins ou une tension dans les cuisses, allez savoir. Les paraphilies non criminelles ne sont pas considérées comme des perversions, au contraire même. On sourit, aujourd'hui, quand une grande marque de vêtements offre à ses clientes de petits *sex toys* (jouets sexuels), on va en famille voir au cinéma un sympathique couple amoureux se donner de petites fessées afin de se stimuler[102]. Personne n'appelle « perversions » ces jeux sexuels qui mettent en appétit et qui, il y a une génération seulement, auraient fait crier au blasphème et à la maladie mentale requérant la police pour une hospitalisation en urgence.

La définition de la perversion « dépend comme toujours de la charge sociale[103] ». Une paraphilie comme le fétichisme, l'orientation vers un objet sexuel contigu comme une chaussure, témoigne d'une construction particulière de l'identité sexuelle. Parfois amusante quand le (la) partenaire veut bien s'en amuser, mais parfois criminelle aussi. Une relation qui détruit l'autre pour simplement jouir ou ne tient pas compte de son existence s'observe régulièrement dans des situations non sexuelles que l'on est en droit de qualifier de perverses.

On peut donc avoir une rencontre sexuelle recommandée par l'Église et prescrite par les médecins, dans une relation totalement perverse. Si vous vous accouplez dans la position normale et saine dite du « missionnaire », et que vous considérez ce qui est au-dessous de vous comme un *sex toy*, sachez que vous êtes en train d'effectuer un scénario pervers puisque, dans une telle relation, il n'y a pas

---

102. Kechiche A., *La Graine et le Mulet*, film, 2008.
103. Tignol J., *Perversion*, *in* Y. Pelicier, P. Brenot (dirs.), *Les Objets de la psychiatrie*, Bordeaux, L'Esprit du Temps, 1997, p. 425-427.

d'Autre : « Si elle mourait sous moi, je continuerais la besogne[104] », dit le poète.

Une culture bien-pensante peut même organiser des rencontres perverses, au nom de la morale. Pendant des siècles, on a pu voir, en France, en Italie et en Espagne, des chemises de nuit fendues au bon endroit, de façon que Monsieur puisse planter un enfant dans Madame, sans la voir nue. Beaucoup de femmes, par ironie, avaient brodé autour de cette fente une maxime vertueuse : « Dieu le veut. » C'est le récit culturel qui a organisé des situations conjugales normales, où Monsieur (et parfois Madame) se trouve en situation de prédateur : « Je me nourris des portions du corps de l'autre dont j'ai besoin pour jouir ou pour faire mon devoir. » Dans ces situations perverses, les partenaires sont victimes d'un récit culturel qui établit au nom de la morale une relation d'emprise : le devoir conjugal où l'un doit se soumettre au désir de l'autre. Le couple effectue un acte pervers dans une relation sans altérité où Monsieur n'est qu'un injecteur et Madame un container. Ces hommes et ces femmes ont rarement des personnalités perverses, et pourtant leurs actes sexuels sont pervertis par une consigne culturelle morale.

La situation n'est pas du tout la même pour un pervers narcissique dont la personnalité n'a pas accès à l'altérité[105]. Un seul monde existe : le sien. Les autres n'y sont que des ombres, des pantins livrés à son plaisir.

Pygmalion adore son jouet, la statue qu'il vient de sculpter. Il vénère comme une princesse la femme-fétiche qu'il éduque selon son désir. Mais cette princesse n'a pas

104. Jouhandeau M., *Ménagerie domestique, scènes de vie conjugale*, Paris, Gallimard, collection « Blanche », 1948.
105. Eiguer A., *Le Pervers narcissique et son complice*, Paris, Dunod, 2005.

plus d'âme que la statue. Ce qui compte pour Narcisse-Pygmalion, c'est l'impression que sa poupée suscite en lui. Croyant parler d'amour, Pygmalion ne fait qu'évoquer l'effet amoureux que produisent en lui ses pantins d'amour. La lionne, elle aussi, connaît cette empathie de prédateur quand elle se frotte tendrement contre l'éléphanteau encore vivant qu'elle est en train de dévorer. C'est pourquoi « il y a dans le monde animal une tendance générale à l'infanticide... la mère en rongeant le cordon ombilical ne s'arrête pas en chemin et dévore son enfant [106] ». Quand l'Autre n'est pas considéré comme une personne avec son monde mental différent du mien, quand il n'est que l'impression qu'il me fait, je peux le dévorer tout en l'aimant beaucoup. Pygmalion, comme tant de pédophiles, s'asservit à la princesse adorée qu'il est en train de former : « Je veux l'habiller, lui donner de bonnes manières et en faire un trésor féminin [107] », une petite princesse à laquelle je m'asservirai. De même que Wanda dit à son amant qu'elle fouette tendrement : « Prenez garde que je n'y prenne goût [108]. » La victime se transforme en complice quand elle aime être ainsi aimée par celui ou celle qui la maltraite et l'humilie. Alors, qui est victime ? Qui est acteur ? Qui est passif ?

---

106. Thom R., « La barrière du nid », in B. Cyrulnik, Si les lions pouvaient parler, Paris, Gallimard, 1998, p. 364.
107. Sacher-Masoch L. von, « La Vénus à la fourrure », in G. Deleuze, Présentation de Sacher-Masoch, Paris, Éditions de Minuit, 1967, p. 136.
108. Idem.

La perversion, force sociale

Toutes « les communautés se constituent par le meurtre[109] » : « Si l'on examine les grands récits d'origine et les mythes fondateurs, on s'aperçoit qu'ils proclament eux-mêmes le rôle fondamental et fondateur de la victime unique et de son meurtre unanime... La violence sacrificielle structure la société naissante... Les génocides ou quasi-génocides qui se sont produits au XXe siècle ont sacrifié des boucs émissaires... partout où les groupes humains cherchent à se reformer sur une identité commune, locale, nationale, idéologique, raciale ou religieuse[110]. » Fonder un groupe aux dépens d'un autre : la perversion serait donc à l'origine du phénomène social !

Le sacrifice d'une victime est une aide précieuse au processus de socialisation archaïque : « Tous les grands systèmes mythologiques... possèdent des troupes de tueurs et tueuses surnaturels qui produisent du sacré et divinisent leurs victimes[111]. » Les deux outils de la sociabilité sont le sexe et l'obéissance, comme nous l'ont fait comprendre Sade et Masoch. Quand le désir sexuel fonctionne, il nous pousse vers l'autre, ce qui met au monde des âmes : le sexe est sacré ! Mais cette orientation ne se fait pas au hasard, c'est un énoncé qui désigne les partenaires permis et ceux qui sont interdits, un mythe doit raconter qui l'on peut

109. Freud S. [1912], *Totem et tabou*, Paris, Payot, 1947.
110. Girard R., *Je vois Satan tomber comme l'éclair*, Paris, Grasset, 1999.
111. Girard R., *La Route antique des hommes pervers*, Paris, Grasset, 1985, p. 39.

épouser afin de mettre une âme au monde. L'obéissance devient alors une vertu socialisante qui ordonne la société.

Dès que, par bonheur, nous pouvons désigner un tiers malveillant par qui le malheur arrive, nous pouvons nous associer afin de lutter contre lui. L'obéissance est ainsi métamorphosée en force sociale et vertueuse qui va nous permettre d'être heureux ensemble, à condition de sacrifier le malveillant, cette victime émissaire.

Depuis que la technologie moderne a disjoint la reproduction et le plaisir, le sexe garde encore l'effet socialisant d'un élan vers l'autre. Mais dans ce nouveau contexte, il n'est plus sacré. Après être passé par une période affective, le sexe devient un jouet où l'autre n'est pas toujours une personne[112].

---

112. Levinson J., « Perversité sexuelle », *in* R. Ogien, J.-C. Billier, *Comprendre la sexualité*, Paris, PUF, 2005, n° 6, p. 158-162.

III

LES PERROQUETS DE PANURGE

Obéissance ou soumission ?

Obéir n'est pas se soumettre : dans la soumission, je suis contraint à faire ce que veut l'Autre, alors que dans l'obéissance, je veux bien faire ce qu'il veut, j'y consens. Dans les deux situations, il faut que le développement de mon empathie me donne accès au monde de l'Autre. Quand l'Autre me soumet, il (elle) m'impose son désir et sa loi. Mais j'obéis à l'Autre quand j'ai compris que j'aurai intérêt à lui faire plaisir. Il ne m'est pas désagréable d'accepter sa loi et de satisfaire ses désirs, alors que je rechigne à me soumettre à ce qu'il (elle) m'impose.

À peine les nourrissons commencent-ils à marcher qu'ils éprouvent le bonheur de s'enfuir quand on les appelle. Ils se donnent ainsi une petite liberté, une brève autonomie qui se connote tout de suite d'un sentiment de victoire ou de frustration selon la manière dont le donneur de soins réagit à cette petite désobéissance. Quand la mère est heureuse et se sent disponible, elle rattrape son petit, le soulève et le serre contre elle en riant. Souvent, c'est la vie et ses petits bobos qui apprennent à l'enfant qu'il a intérêt à obéir. Il arrive que le petit ne tente plus l'aventure de l'autonomie tant la répression a été sévère : il est soumis. Parfois au contraire, l'enfant n'ayant jamais eu l'expérience du danger éprouve la volonté de celle qui l'empêche de traverser une route dangereuse comme une frustration intolérable.

Cette dépendance aux bras de l'Autre et à son monde mental pose, dès les premiers mois de la vie, le problème de l'obéissance. Sans Autre, je n'ai aucune chance de me développer, ni même de survivre. Mais dans les bras de l'Autre je dois faire la part de mes désirs et de sa volonté. Sans attachement, je ne vis pas et parfois même je meurs. Mais avec attachement, je vis sous la volonté de l'Autre. Ce n'est que lorsque ma faim d'amour sera satisfaite que je pourrai apprendre à devenir autonome. C'est grâce à celle qui m'enveloppe avec ses bras et m'encadre avec ses ordres que ma dépendance passée me donne aujourd'hui mon indépendance. Et c'est l'attachement qui m'a permis d'évoluer, de la dépendance totale le jour de ma naissance à la dépendance distante qu'on appelle autonomie. Ma liberté surveillée dépend de son état mental. Un enfant sécurisé acquiert le sentiment qu'il est capable de conquérir le monde, alors qu'un enfant abandonné sans base de sécurité ou attaché à une base d'insécurité acquiert le sentiment d'être soumis au monde[1]. « Ma liberté dépend de la force qu'elle me donne », pense certainement le nouveau-né.

---

1. Sroufe L. A., Fox N., Pancake V., « Attachment and dependency in developmental perspective », *Child Development*, 1983, 54, p. 1615-1627.

Les signes d'attachement sont les mêmes que ceux de la dépendance : pleurer pour appeler, exprimer son manque, rechercher sa proximité, s'accrocher quand elle arrive, s'apaiser. Ce qui explique qu'il y ait deux sortes de dépendances affectives : une dépendance confiante qui permet d'explorer à partir d'un camp de base sécurisant (mère, conjoint, groupe, amis) et une dépendance anxieuse qui fait craindre la découverte parce qu'elle exige que l'Autre soit présent et se consacre à calmer mes angoisses. Ainsi font les conjoints qui souffrent de l'autonomie de l'autre. Ainsi font les mères qui, en se consacrant totalement aux besoins de leur enfant, l'enferment dans une prison affective. Ainsi font les pères en carence affective qui croient se faire aimer en donnant en cachette. Ainsi font les nourrissons qui exigent qu'un adulte les entoure sans cesse. Tous ces attachements prennent des styles différents qui définissent comment chaque couple établit la façon d'aimer qui le caractérise. Certains papillonnent, d'autres se ferment, plusieurs se déchirent et ne peuvent se quitter, et quelques-uns se séparent dès qu'ils se sentent mieux[2].

La dépendance affective enseigne l'obéissance qui tisse un lien apaisant, alors que la soumission appelle l'humiliation qui mène à la honte de soi. Seul Masoch érotise ce sentiment de manière paradoxale puisque c'est lui qui ordonne à Wanda de le soumettre.

Le tissage d'un lien affectif où l'on trouve un bénéfice à obéir s'observe dans toute relation à deux : dans le duo mère-enfant, dans l'échange affectif, comme dans la rencontre sexuelle. L'attachement père-enfant donne à ce lien

---

2. Silverman P. R., Klass D., « Introduction : What's the problem ? » *in* D. Klass, P. R. Silverman, S. L. Nickman (éds.), *Continuing Bonds, New Understanding of Grief*, Washington, DC, Taylor and Francis, 1996, p. 3-25.

de dépendance une forme curieuse où il sécurise ou angoisse, même s'il n'est pas physiquement présent[3]. Certains enfants (5 à 10 %), dès les premiers mois, se sentent mal dans les bras de leur mère qui ne parvient ni à se faire obéir ni à consoler le bébé lors de ses petits chagrins[4]. Ces mêmes nourrissons se calment aussitôt dans les bras de leur père ou d'une autre femme. Probablement cette mère est ressentie comme une base d'insécurité parce qu'elle-même a été traumatisée pendant sa grossesse par un accident de la vie, un deuil, une angoisse chronique[5] ou, de plus en plus souvent aujourd'hui, par une annonce effrayante (pas toujours justifiée) lors d'une échographie.

Même s'il est vrai qu'un enfant privé de base de sécurité se centre sur lui-même et démarre difficilement dans la vie, les prédictions à long terme sont rarement possibles car beaucoup d'autres facteurs vont infléchir le développement[6].

L'obéissance tranquillisante

Dès le début de notre aventure psychique, l'obéissance constitue une négociation affective dont nous tirons un grand bénéfice puisque c'est grâce à cette transaction que nous prenons confiance en nous. « Je t'obéis pour rester

3. Grossmann K. E., Grossman K., « Développement de l'attachement et adaptation psychologique du berceau au tombeau », *Enfance*, 1998, 3, p. 3-12.
4. Brazelton B. T., « Compétence et comportement du nouveau-né », *Psychiatrie de l'enfant*, 1981, XXIV, 2, p. 375-396.
5. Harel Sh., *Résilience intra-utérine. Suivi d'une cohorte d'enfants*, in I. Pelc, mémoire, Trans-mission, Résilience, ULB Bruxelles, 30 juin 2008.
6. Van IJzendorn M. H., « Adult attachment representations, parental responsiveness and infant attachment. A meta analysis on the predictive validity of the Adult Attachment Interview », *Psychological Bulletin*, 1995, 117, p. 387-403.

près de toi, parce que ton affection me donne confiance en moi », pourrait dire l'enfant sécure. Un enfant désobéissant part en tous sens, ne se construit pas une trajectoire existentielle et calcule mal les risques, ce qui augmente sa probabilité d'échecs et d'accidents. Un enfant soumis ne prend pas, lui non plus, une direction qui lui convient puisqu'il attend que l'Autre décide à sa place et lui impose sa Loi[7]. Seule l'obéissance permet de résoudre ce paradoxe de la condition humaine : j'ai besoin d'un autre pour devenir moi-même. Je ne peux m'éloigner qu'à partir d'un camp de base. Je ne peux devenir autonome que si, d'abord, j'ai incorporé les désirs de ma figure d'attachement[8].

La dépendance sécurisante imprègne dans l'enfant le sentiment qu'il est capable d'agir sur le monde et de maîtriser les situations inattendues[9]. « Ça ne dépend que de moi », dit l'enfant devenu indépendant parce qu'il a d'abord dépendu des autres.

Pourrait-on vivre ensemble s'il n'y avait pas le pare-chocs de l'obéissance ? Peut-être ne connaîtrions-nous que des rapports de violence qui nous pousseraient à fuir pour éviter la soumission ? Pour vivre ensemble et fabriquer du social, pour éviter les rapports de forces, nous devons consentir à l'obéissance. Alors nous éprouvons un curieux plaisir car, en obéissant, nous obtenons l'autorisation de côtoyer la figure d'attachement qui nous sécurise, nous espérons nous intégrer dans un système social qui nous

7. Golse B., *Le Développement affectif et intellectuel de l'enfant*, Paris, Masson, 1989, p. 84-85.
8. Lecamus J., *Le Vrai Rôle du père*, Paris, Odile Jacob, 2000.
9. Sroufe L. A., Carlson E., Shulman S., « Individuals in relationship : Development from infancy through adolescence », *in* D. C. Funder, R. Parke, C. Tomlinson-Keesey, K. Widahan (éds.), *Studying Lives through Time : Approaches to Personality and Development*, American Psychological Association, Washington, DC, 1993, p. 315-342.

rapproche du chef. L'obéissance fonctionne comme une colle affective entre personnalités différentes mais coordonnées par un projet social. Si nous n'étions que deux individus sur Terre, nous aurions du mal à nous séparer et, en cas de domination, celui qui la subirait en serait humilié. En présence d'un tiers, l'obéissance permet à ces deux personnes de coordonner leurs forces afin de réaliser les ordres du chef. L'humiliation de la soumission est alors transcendée en obéissance qui mène à la victoire en augmentant le pouvoir de celui qui nous représente. Ce liant social est plus émotionnel que raisonné. Les bénéfices affectifs et sociaux sont tellement importants que les « obéissants » sont prêts à entendre n'importe quel raisonnement, même le plus absurde, à condition qu'il légitime le besoin de se ranger aux côtés de celui qui ordonne.

En écrivant cela, je me rappelle une vieille expérimentation qui consistait à observer des gens dans une salle d'attente [10]. Tous les sièges, sauf un, étaient occupés par des compères plongés dans la lecture d'un journal. La personne observée entre dans la salle où on lui a donné rendez-vous et ne peut s'asseoir que sur la chaise laissée libre. Le nouvel arrivant se met à lire, lui aussi. C'est alors qu'un complice fait sortir une épaisse fumée par un soupirail. Personne ne bouge puisque telle est la consigne. La fumée est intense, et l'odeur de bois brûlé importante. Le cobaye manifeste des signes d'inquiétude, mais puisque personne ne bouge, il se remet à lire. Il faudra attendre qu'un brouillard total obscurcisse la pièce pour qu'enfin il ose se désoli-

---

10. Asch S., « Effects of group pressure upon the modification and distorsion of fragments », *in* H. Guetzkow, *Human Relationships*, Pittsburgh, Carnege Press, 1951, p. 177-190.

LES PERROQUETS DE PANURGE   169

dariser du groupe et s'enfuir, laissant les autres le nez dans leur journal. Les études récentes en neuro-imagerie montrent à quel point « être-ensemble » participe au fonctionnement de chaque cerveau des individus du groupe : lorsqu'on voit les autres faire un geste autour de nous, les cellules correspondantes de notre cerveau se mettent à consommer beaucoup d'énergie, comme si nous nous préparions à faire la même action[11].

Dans les petites années le lobe préfrontal des enfants n'est pas encore capable d'inhiber les réflexes. Jusqu'à l'âge de sept ans, les petits imitent invinciblement tout geste de la figure d'attachement. La preuve en est donnée par le jeu des « chapeaux mexicains » que les enfants adorent porter. L'expérimentatrice passe devant l'un d'eux et, d'un geste apparemment maladroit, cogne le rebord antérieur du chapeau pour le faire glisser sur le dos. L'enfant par réflexe envoie les mains derrière son dos. On voit alors son compagnon envoyer lui aussi les mains en arrière, alors que son chapeau tient bien sur sa tête[12] : « Dès le sixième mois, l'enfant manifeste un mimétisme affectif où l'indivision avec autrui sous-tend les réponses en écho[13]. »

L'obéissance socialisante

Après l'âge de sept ans, la maturation cérébrale permet d'inhiber l'imitation. Les neurones cérébraux s'allument,

---

11. Rizzolatti G., Sinigaglia C., *Les Neurones miroirs*, Paris, Odile Jacob, 2008.
12. Nadel J., Beaudonnière P.-M., *L'Imitation mode d'échange prépondérant entre pairs*, Enfance, 1980.
13. Deleau M., *Les Origines sociales du développement mental*, Paris, Armand Colin, 1990, p. 137.

mais les muscles ne répondent plus. À ce stade du développement, l'enfant maîtrise le langage et la représentation du temps. Il peut donc se faire une théorie du monde en adoptant les récits de ceux qu'il aime. Apparaît alors un curieux phénomène : l'enfant croit aux idées que son entourage lui suggère, bien plus qu'à ce qu'il perçoit. Il voit le monde avec les idées des autres.

L'expérimentation n'était pas difficile : il a suffi de filmer des enfants âgés de trois à sept ans face à un adulte placé à plus d'un mètre de distance en train de jouer à « Jacques a dit »[14]. Une semaine plus tard, en évoquant le jeu avec ces enfants, on ne pouvait qu'admirer la précision de leur mémoire. De trois à cinq ans, ils se rappellent tout ce qu'a dit Jacques. Mais la désillusion est importante quand on leur demande : « Qu'est-ce qui est le plus lourd : le rouge ou le vert ? » On entend alors, dans la majorité des cas, les petits génies choisir une couleur. L'inquiétude germe en nous quand l'expérimentateur demande à l'enfant : « Est-ce que le monsieur t'a frappé ? ». Entre trois et cinq ans, un enfant sur trois répond « oui », alors que l'enregistrement prouve qu'il n'en a rien été. À la question : « Est-ce qu'il t'a montré son zizi ? » beaucoup de petits répondent par l'affirmative. Mais si l'expérimentateur poursuit : « Il ne t'a jamais montré son zizi », les mêmes enfants répondent par la négative. Un adulte ne peut pas se tromper, pense l'enfant, il faut que je dise ce qu'il attend de moi. La moindre des représentations verbales auxquelles adhère le petit dépend des mots avec lesquels un adulte

---

14. Van Ghijseghem H., Gauthier L., « Faits et méfaits de la psychologie chez l'enfant victime d'abus sexuel », *Journal du droit des jeunes*, décembre 1999, n° 190.

l'aura enveloppée. Malgré sa mémoire vive, l'enfant récite ce qu'il croit qu'un adulte attend[15].

Cette adhésion aux représentations verbales d'une figure sécurisante explique le plaisir de partager une croyance. Si nous croyons en un même dieu, si nous adhérons aux mêmes mythes ou aux mêmes stéréotypes, nous éprouvons d'emblée un sentiment de familiarité. Il nous suffit de croire à ce que croit notre figure d'attachement pour éprouver un sentiment de proximité affective. Partager une même représentation du monde devient une déclaration d'affection.

L'obéissance panurgique, au côte-à-côte, possède un immense pouvoir tranquillisant, que l'on peut aujourd'hui photographier en neuro-imagerie. L'expérimentation est la suivante : un groupe de compères entoure un cobaye dont on observe le cerveau en résonance magnétique fonctionnelle. Le chef du groupe donne la consigne de recopier scrupuleusement un texte. Tous les participants s'y appliquent, et les neurones miroirs du cerveau du cobaye le préparent à faire comme les autres[16]. Lorsque, soudain, les compères se mettent à mal recopier et à commettre des fautes évidentes en faisant semblant de s'en moquer. Le cobaye se trouve alors devant un choix difficile : il peut se désolidariser du groupe afin de mieux appliquer la consigne, ou il peut renoncer à recopier correctement afin de rester solidaire. Les images cérébrales montrent alors que ses amygdales rhinencéphaliques s'allument,

---

15. Cyrulnik B., « La parole des enfants est-elle fiable ? », inspiré par l'observation de Ghijseghem et Gauthier, *Psychologies*, juillet-août 2004.
16. Bern G., Chappelow J., Zink C., Pagnoni G., Martin-Skurski M., Richard J., « Neurobiological correlates of social conformity and independence during mental rotation », *Biological Psychiatry*, 2005, 22, p. 463-472.

deviennent rouges, prouvant ainsi qu'une émotion intense le submerge, même s'il n'en souffle mot. En effet, toute stimulation électrique ou chimique de ces ganglions de la zone profonde du cerveau provoque un sentiment mêlé d'angoisse et de colère[17]. Dans cette expérimentation du texte à recopier, l'angoisse est provoquée par la contrainte à désobéir.

L'adaptation la moins coûteuse en énergie consiste à faire comme tout le monde. Non seulement nous n'aurons pas de stress, mais en plus nous baignerons dans une paisible entente affective. Tout individu qui tente d'échapper à cette conformité « allume » ses amygdales rhinencéphaliques et sécrète des hormones de stress. Sans cesse en alerte biologique et cérébrale, il se demande pourquoi il est fatigué, pourquoi il dort mal, pourquoi tout l'énerve. Le simple fait de se désolidariser de son groupe l'a placé sur le tapis roulant du burn-out ! La solidarité affective, le côtoiement des corps et des mots sont des protections contre la dépression d'épuisement. Mais « une ambiance au travail pauvre de communication... un isolement sensoriel... une décision qui pousse à la désolidarisation[18] » créent les conditions qui mènent à l'effondrement physique et psychique.

Quel bien-être nous apporte le conformisme ! Quel paradoxal sentiment de force nous ressentons lorsque notre obéissance a renforcé le pouvoir du chef qui nous représente ! Quel sentiment de supériorité intellectuelle nous gagnons à réciter la théorie du maître dont les slogans répétés à l'unisson excluent le dissident qui ose penser

---

17. Panksepp J., *Affective Neuroscience*, Oxford University Press, 1998, p. 55.
18. Delbrouck M. (éd.), *Le Burn-Out du soignant*, Bruxelles, De Boeck, 2003.

autrement ! Notre culture exerce les enfants à l'obéissance volontaire grâce à l'école qui non seulement contraint les corps à l'immobilité, mais oblige les esprits à la récitation des théories qui permettent de réussir aux examens.

Certains individus se donnent l'illusion d'être des esprits libres en s'opposant systématiquement. Il ne s'agit pas d'une désobéissance, ni même d'une désolidarisation puisque, comme les adolescents, ils se posent en s'opposant. Ils ont donc besoin d'un autre auquel ils se réfèrent en n'étant pas d'accord. Elle est loin de l'autonomie cette pensée pseudo-rebelle qui, comme l'enfant de trois ans, éprouve du plaisir à s'enfuir quand on lui dit de venir, ou comme l'adolescent qui ne sait pas encore ce qu'il pense mais sait déjà qu'il ne veut pas penser comme tout le monde.

La libération est douloureuse quand un fait ou une idée nous obligent à nous désolidariser de ceux que nous avons côtoyés : Galilée, Luther, Darwin, Spinoza ou Freud, en quittant les autoroutes de la pensée, ont été agressés par ceux qu'ils aimaient à l'époque où ils récitaient avec eux la même doxa[19]. Le panurgisme intellectuel donne des diplômes, crée des groupes amicaux, des cercles intellectuels ou des sectes en faisant croire que la récitation commune tient lieu de vérité. Ces énormes bénéfices affectifs et socioculturels expliquent en grande partie les mouvements d'idées qui, comme une épidémie psychique, entraînent les participants dans l'illusion du bonheur, de l'amitié et de la réussite sociale. Difficile de ne pas se laisser emporter par tant de bienfaits, difficile de quitter ceux qu'on aime quand on découvre un fait qui nous désolida-

---

19. Servan-Schreiber D., « Le cerveau de l'indépendance », *Psychologies*, septembre 2005, p 110-111.

rise, difficile de se retrouver dans « une situation pauvre en communication[20] » qui nous entraîne vers la dépression par perte affective et isolement sensoriel. Le prix de la liberté est exorbitant dans un contexte où l'enthousiasme collectif exalte le bonheur que donne l'obéissance. Dans la grégarité intellectuelle, chacun sert de base de sécurité à l'autre, chaque idée de l'un conforte l'idée de l'autre puisque nous répétons, tous ensemble, les sentences prononcées par les génies que nous admirons. Nous incorporons ainsi une part de leur surhumanité puisque nous répétons leurs récits.

Le grégarisme intellectuel est nécessaire pour parler la même langue avec le même accent, pour éprouver un sentiment de familiarité, pour suivre une mode convenable, pour effectuer tous en même temps les rituels qui nous sécurisent et nous permettent de coexister. Mais le délicieux sentiment d'appartenance se transforme bien vite en esprit de clan où le totem qui nous représente nous coupe des autres quand nous ne prenons pas soin d'entretenir l'empathie qui nous met à leur place. Une nécessaire et délicieuse enveloppe communautaire vient de se transformer en secte, en situation psychosociale perverse où la souffrance et la mort des autres nous indiffèrent. « Nous ne pouvons pas nous mettre à la place de tout le monde, seule notre culture compte. » L'obéissance nécessaire vient de se métamorphoser en bonheur de se soumettre, en culture perverse.

---

20. Delbrouck M. (éd.), *Le Burn-Out du soignant, op. cit.*, p. 122.

L'obéissance perverse

« Je veux une jeunesse athlétique qui n'aurait pas reçu la moindre éducation intellectuelle, si ce n'est l'apprentissage à l'obéissance[21] », disait Hitler. À quoi la belle jeunesse répondait d'une seule voix : « Commande, Führer, nous te suivrons. Tout le monde te dit "oui"[22]. » Quand l'obéissance, vertu sublime, rassemble les suiveurs dans une extase amoureuse, l'identité de foule donne un tel sentiment de puissance et d'euphorie que le crime de masse peut se réaliser avec une joyeuse férocité : « Emporté par un enthousiasme tumultueux je tombai à genoux et remerciai de tout cœur le ciel de m'avoir donné le bonheur de pouvoir vivre à une telle époque. Ainsi commença pour moi... le temps le plus inoubliable et le plus sublime de toute mon existence terrestre[23]. » Ainsi parlait Hitler au moment où il entamait le processus d'épuration de ses rivaux allemands qu'il faisait assassiner quand ils refusaient de se suicider pour obéir à ses ordres. Puis il nettoya sa nation de ses juifs, trop intellectuels à son goût, et enfin il sacrifia son propre peuple qui méritait la mort en 1945 pour n'avoir pas su faire triompher ses idées.

La joyeuse férocité des crimes de masse est frappante sur les nombreuses photos où de jeunes soldats allemands rigolent en torturant des vieillards ou en abattant des

---

21. Hitler A., « Discours 1936 », in I. Kershaw, *Hitler, 1889-1936*, Paris, Flammarion, 1999.

22. « Slogan des Jeunesses hitlériennes », *Comprendre Oradour*, Centre de la mémoire, 2000.

23. Hitler A., *Mein Kampf*, Paris, Nouvelles Éditions latines [s.d.], cité par I. Kershaw, *Hitler, 1889-1936, op. cit.*, p. 129.

enfants dans les bras de leur mère afin de les faire tomber ensemble dans des fosses cimentées [24].

Céline, le plus sarcastique des pousse-au-crime, rivalisait d'« insultes pour rire [25] » avec Maurras et Léon Daudet. « Soyons prétentieux et soyons en même temps gais », écrivait François Léger [26]. La prose devait être « tonique, joyeuse et injurieuse [27] », afin que l'assassinat se fasse en pleine fête. « Un jeune doit rentrer dans la vie le sexe à la main et l'injure à la bouche », disait délicatement Charles Maurras.

La féroce gaieté des masses criminelles est structurée par le récit des initiateurs qui invitent au crime et par la délicieuse obéissance de ceux qui les récitent. Où est le drame ? Il suffit d'employer quelques métaphores animales afin de dégrader la représentation de l'autre. On choisira de préférence des animaux qui suscitent le dégoût tels les rats ou les serpents. Puis on y ajoutera un zeste de morale, comme dans les fables : « Ils mordent le sein qui leur a donné le lait... ils mangent notre pain. » On saupoudrera ensuite de quelques histoires édifiantes qui tiendront lieu de preuve : « J'en connais un qui est parti avec la caisse de la famille qui l'a hébergé pendant deux ans. » Vous disposez alors d'un récit cohérent, clair et édifiant qui désigne la place de l'Autre-Diable. Il est maintenant logique de passer à l'acte en promulguant une loi, puis en envoyant l'armée, la police et la foule joyeuse à l'attaque. La masse des sui-

---

24. Desbois P., *Porteur de mémoire. Sur les traces de la Shoah par balles*, Paris, Michel Lafon, 2007.
25. Verdès-Leroux J., *Refus et violences. Politique et littérature à l'extrême droite. Des années trente aux retombées de la Libération*, Paris, Gallimard, 1996, p. 48-49.
26. Léger F., « Que peut faire l'opposition nationale devant la crise ? », *Cahiers Charles Maurras*, 1975, n° 53, p. 38.
27. Léger F., *op. cit.*

veurs composée de braves gens admiratifs ressent comme une juste cause le crime qu'elle va commettre. Les moutons de Panurge après un magnifique défilé, une splendide bagarre, rentrent chez eux, l'âme enchantée. Ils font durer le plaisir en se transformant en perroquets de Panurge qui récitent les mêmes fables. Où est le drame quand il n'y a que fête et vertu ? L'effet agrégeant de l'obéissance a gardé son pouvoir tranquillisant, il a même créé un sentiment de protection : « Je n'ai fait qu'obéir. » Ainsi parlent les enfants quand ils sont accusés. Le simple fait de dire : « C'est pas moi, c'est l'autre » disculpe le tueur et préserve son innocence.

C'est de leur plein gré que les perroquets tueurs ont couru se soumettre aux récits initiateurs. La conformité leur a donné tant de bonheur, apporté tant de bénéfices d'amitié, de gaieté, d'ascension sociale et d'estime de soi qu'il leur aurait été difficile de s'en priver. Sans compter que celui qui s'isole des féroces jacasseries de la volière s'expose à l'agression de ses propres compagnons. En refusant de participer à la récitation du groupe, le perroquet désobéissant prend la place du bouc émissaire ! « Il refuse de crier comme nous, il altère notre extase, il nous ferait douter, à mort le briseur de charme ! », caquette le chœur des perroquets diplômés.

La parole est une invention invraisemblable qui nous permet, simplement en agitant la langue, de nous affranchir du réel. Il suffit, pour réaliser ce miracle, de se mettre d'accord sur la manière de faire des bruits avec sa bouche. Grâce à la convention des signes, nous devenons capables de créer un monde de mots, d'inventer des récits et de nous y soumettre. Parfois, ces sonorités convenues composent des mots qui découpent des morceaux de réel (tasse de thé). Mais le plus souvent la parole donne forme à l'idée que nous nous faisons du réel (mystérieuse tasse de thé). Ainsi, nous devenons capables de créer un monde parallèle de mots qui peut ne jamais rencontrer le réel dont il parle. Cette phrase que je viens d'écrire définissait le délire avant que les psychiatres ne s'en emparent. Il est donc possible de délirer sans être fou, comme lorsque l'imagination surchauffée d'un homme ou l'enthousiasme d'une foule mènent les témoins à s'exclamer : « C'est du délire. »

La servitude volontaire

Quel bonheur de se soumettre aux délires que nous inventons ! Nous nous sentons intelligents, nous échappons aux « lois de la nature », nous dominons le monde des choses, nous transcendons ! Le simple fait de réciter tous ensemble le même *credo* fait naître en nous un sentiment de force, de proximité affective, voire d'intimité puisque nous récitons en même temps les mêmes mots d'une théorie vertueuse : nous nous aimons les uns les autres ! Quel bonheur nous apporte l'obéissance ! Quelle puissance nous donne la soumission ! De plus, la servitude volontaire construit une « morale politique... la sourde connivence de ces classes de bourdons sert les tyrans à accoutumer le peuple, non seulement à obéissance et servitude, mais encore à dévotion[28] ».

---

28. La Boétie E. de, *Discours de la servitude volontaire*, présentation de Simone Goyard-Fabre, Paris, Flammarion, 1983, p. 97.

Pour accéder à la transcendance des récits, nous devons obéir aux règles linguistiques qui nous permettent de parler ensemble, mais en plus nous devons nous soumettre à leur « morale politique », au projet du peuple, sous peine d'en être exclus. Obéir pour grandir, se soumettre pour s'épanouir, voilà ce qui explique l'étrange panurgisme de ces hommes équilibrés qui, par passion du tyran, récitent les préjugés du groupe et se transforment en tueurs de masse. Un tel asservissement à un récit délirant permet aux individus d'un groupe de s'épanouir au nom d'une morale perverse et « fait de lui (le tyran) un véritable " mange peuple ". Nous tenons là le principe secret des univers concentrationnaires...[29] ».

Le principe secret, c'est l'étonnant bonheur que donne la soumission au récit délirant du Maître. La haine de l'Autre est un sentiment fade, une routine presque quand on la compare à l'amour du Même provoqué par le récit exaltant du Maître. La secrétaire particulière d'Hitler, Traud Junge, témoigne de cette sérénité : « Quand je suis arrivée dans le bunker j'ai tout de suite ressenti un sentiment de sécurité[30]. » Cette dame ne se sent pas criminelle, elle n'éprouve aucune haine quand elle passe les ordres meurtriers du Maître envers son propre peuple. Au contraire même, elle est heureuse de la politesse, de la chaleur humaine et de la sérénité de ce milieu clos, ce havre autour duquel le monde brûle. Il lui faudra plusieurs semaines pour sortir du doux abri et découvrir que Berlin

---

29. La Boétie E. de, *Discours de la servitude volontaire*, présentation de S. Goyard-Fabre, *op. cit.*
30. Cannavo R., « Le fantôme du diable », *Télé Ciné Obs*, n° 3, à propos du documentaire *La Secrétaire d'Hitler*, France 5, 2004. Sentiment confirmé par Misch R., *J'étais garde du corps d'Hitler. 1940-1945*, témoignage recueilli par Nicolas Bourcier Paris, Le Cherche Midi, 2006.

est en ruine. Il lui faudra plusieurs décennies pour sortir de l'exaltant bunker des représentations verbales du nazisme et découvrir que ce délire logique a tué soixante millions d'êtres humains et que, parmi les juifs d'Europe, sept adultes sur dix et neuf enfants sur dix ont été assassinés, un à un, par de gentils papas et de jolies mamans[31].

Le fait d'obéir jusqu'à la transgression est un raisonnement typiquement pervers : « J'ai une telle passion pour mon maître que je ressens un plaisir immense à lui faire plaisir. Pour lui, je suis prêt à éprouver aussi le plaisir de la transgression, s'il me le demande. Obéir jusqu'à la mort que je donne ou que je reçois, dénoncer ceux qu'il déteste afin d'assouvir sa haine, seuls comptent son désir, son monde mental, ses représentations. » « Dénoncer et mourir de plaisir[32] » met en scène une telle relation perverse. Les femmes infantilisées jouissent de la transgression imposée par les lois fascistes. Le féminisme nazi a donné beaucoup de plaisir aux femmes soumises qui ont joué un grand rôle dans la délation et la persécution administrative[33]. Assujetties au Führer divinisé, elles éprouvaient dans leur for intérieur l'immense plaisir de faire plaisir à un homme immense. Pendant ce temps, les hommes robotisés, vaillants soldats sur le front de l'Est, éprouvaient la fierté et l'honneur d'obéir jusqu'au sacrifice.

Nous tenons là le principe secret, l'étonnante soumission de ces « hommes ordinaires » du 101ᵉ bataillon de

---

31. Maffre-Castellani F., *Femmes déportées. Histoire de résilience*, Paris, Des femmes, Antoinette Fouque, 2005, p. 57-58.
32. Gabriel N., « Les bouches de pierre et l'oreille du tyran : des femmes et de la délation », *in* L. Kandel, *Féminisme et nazisme*, préface d'Élisabeth de Fontenay, Paris, Odile Jacob, 2004, p. 48-52.
33. Gabriel N., *op. cit.*

l'armée allemande qui ont effectué un insupportable meurtre de masse. Ils ont aligné des enfants afin de les tuer tranquillement, les uns après les autres, d'une balle dans la tête : « Ils ont tué sans discontinuer... la forêt regorge de petits cadavres[34]... » Tant que ces braves hommes ont pu se soumettre à la représentation qui leur disait qu'il fallait tuer ces enfants parce qu'ils allaient devenir des ennemis d'Hitler, ils ont fait leur boulot qui n'a pas toujours été facile, vous savez. Mais, dès qu'un événement faisait resurgir le réel, ces soldats cessaient d'habiter le délire culturel. Les tueurs, dépersonnalisés par le panurgisme et l'adoration du chef, ouvraient enfin les yeux : « ... Le commandant prend dans ses bras une fillette que les soldats viennent de blesser à la tête et lui dit : " Tu vas rester en vie[35]. " » Les deux systèmes de la perception du réel et de la soumission aux représentations de « Celui-qui-Sait » cohabitent dans le monde mental d'une même personne. Alors, celui qui a ordonné le massacre des enfants protège tendrement une fillette blessée par ses propres hommes. « Quand le psychisme est clivé par une angoisse ou une contrainte extérieure, ces deux attitudes contradictoires peuvent coexister, chacune restant étrangère à l'autre[36]. »

À Birkenau, la surveillante-chef Maria Mandel, une gardienne SS extrêmement dangereuse, s'était attachée à un merveilleux bambin juif de deux ou trois ans. Elle se promenait avec lui, le portait dans ses bras, le couvrait de

---

34. Browning C. R., *Des hommes ordinaires. Les bourreaux volontaires d'Hitler*, Paris, Les Belles Lettres, coll. « Texto », 2005, p. 123.
35. Browning C. R., *op. cit.*
36. Bursztein C., « Clivage », *in* D. Houzel, M. Emmanuelli, F. Moggio, *Dictionnaire de psychopathologie de l'enfant et de l'adolescent*, Paris, PUF, 2000, p. 120-122.

baisers, lui donnait du chocolat. « Mais quand l'ordre vint, elle le conduisit elle-même à la chambre à gaz[37]. »

Elsa Krug était très belle. Cette Allemande a été déportée à Ravensbrück parce qu'elle était asociale. Elle gagnait très bien sa vie comme prostituée spécialisée dans les rapports sadomasochiques. Au camp, sa beauté et sa forte personnalité la firent remarquer. Elle fut nommée *kapo* et profita de ce statut privilégié pour aider d'autres femmes déportées. Un jour, le commandant du camp, Karl Kögel, lui demanda de bastonner à mort certaines déportées. Elle refusa et fut immédiatement gazée[38].

Effet tranquillisant du panurgisme verbal

Ces exemples nous montrent qu'une personne ni névrosée ni psychotique peut être clivée par un contexte social pervertissant : un aimable commandant soigne l'enfant qu'il s'apprêtait à tuer, une prostituée sadomaso se comporte avec noblesse, tandis qu'une gardienne SS porte à la chambre à gaz l'enfant qu'elle maternait. Dans une même personnalité, plusieurs traits peuvent coexister sans se coordonner et parfois même en s'opposant. Ce clivage facilite la réalisation d'actes pervers quand la culture impose des récits d'obéissance aliénante. Notre aptitude au panurgisme verbal nous apporte tant de bénéfices quand nous y cédons et tant de maléfices quand nous nous en désolidarisons que les récits, les mythes, les stéréotypes et

---

37. Maffre-Castellani F., *Femmes déportées. Histoires de résilience, op. cit.* p. 57-58.
38. Maffre-Castellani F., *op. cit.*

même les préjugés les plus absurdes possèdent un énorme pouvoir de structuration sociale.

Il est difficile de ne pas se soumettre au psittacisme, cette tendance à réciter des slogans dont on ne saisit pas le sens, parce que le panurgisme verbal tisse un lien entre ceux qui admirent le même chef. Refuser de répéter les phrases brèves qui nous lient revient à s'isoler du groupe que l'on aime. Cette affectivité donne sa force à la pression de conformité. La soumission intellectuelle apporte tous les bénéfices d'une religion, qu'elle soit sacrée ou profane. On se sent bien entre soi, on transcende et on moralise tous nos comportements... même les plus pervers. Les suiveurs se taisent, voilà tout, ils ne mettent pas en danger la récitation des perroquets triomphants, ils ne les empêchent pas de chanter en chœur.

Quand un groupe social obéit jusqu'au délire, ses récits et ses slogans servent de colle affective. Le jeune Pio, survivant du génocide rwandais, témoigne de la différence entre l'abstention discrète et la désobéissance active : « Celui qui avait l'idée de ne pas tuer un jour, il pouvait s'esquiver sans difficultés. Mais celui qui avait l'idée de ne pas tuer du tout, il ne pouvait dévoiler cette idée, sinon il allait être tué à son tour devant une assistance [39]... » En fait, les Hutus ont été nombreux à protéger les Tutsis. Ceux qui se sont opposés ont pris le risque de mourir, mais ceux qui se sont contentés de ne pas participer aux massacres n'ont pas été ennuyés [40], confirmant ainsi l'idée que désobéir, c'est se mettre en lumière, alors qu'obéir, c'est se mettre à l'ombre.

---

39. Berraies F., *Les Enfants de l'après-génocide au Rwanda*, atelier de recherche de Laura Lee Downs, Paris, École des hautes études en sciences sociales, 2008.
40. Hatzfeld J., *Une saison de machettes*, Paris, Seuil, 2003.

Les enquêtes de l'École de Francfort[41], qui, comme son nom l'indique, ont été réalisées aux États-Unis, en évaluant des « échelles d'attitude » qui qualifient des manières de se socialiser, révèlent que les personnes qui prennent le plus facilement leur place dans des sociétés rigides sont des personnalités qui ne critiquent pas l'ordre établi. Elles apprennent par cœur la règle du jeu, n'en discutent pas les valeurs et s'appliquent simplement à gravir les échelons. Les entretiens et tests de personnalité décrivent des hommes cultivés, travailleurs, fiables et rigoristes. Ils savent parfaitement ce qu'il faut faire pour grimper, ils s'y appliquent et réussissent tellement bien que, tout naturellement, ils en arrivent à penser que le fait d'être en bas est une preuve de déficience intellectuelle, de paresse ou de dégénérescence. Logiquement, ils en déduisent que ceux qui se trouvent en haut sont des êtres merveilleux, des génies qui savent comment faire fonctionner une société. Il faut leur obéir, réciter leurs idées et les faire appliquer par la force s'il le faut puisque, s'il n'y avait pas de « désobéissants », l'ordre social serait parfait.

Dans cette conception de la société, le bouc émissaire émerge spontanément. Il suffit de le sacrifier pour rétablir un ordre juste. Quand un événement économique ou politique change les valeurs de l'échelle, ces bons élèves ne se démontent pas. Ils apprennent tout aussi bien les nouvelles règles et recommencent à grimper. On les juge intelligents, cultivés et agréables compagnons. Ils sont heureux car, pour eux, le monde est clair, ils s'y épanouissent, ils sont aimés et rendent leurs proches heureux. Il faut bien sacri-

---

41. Lellouche S., « L'École de Francfort », *Sciences humaines*, juin 2000, n° 106.

fier quelques boucs émissaires au nom de la morale, plaindre les faibles qui restent coincés en bas de l'échelle, défendre le groupe vertueux et punir les désobéissants qui menacent l'ordre : ainsi parlent les dignitaires des régimes tyranniques.

Quand les nazis ont édicté un règlement qui « interdisait la naissance des enfants juifs[42] », les Allemands qui se sont tus n'ont pas été inquiétés. Pour ne pas être obligés de participer à la persécution, il leur suffisait de dire qu'ils avaient un souci de famille ou un travail urgent à terminer. Ils avaient même la permission de ne pas obéir, et pourtant la plupart ont préféré se soumettre à ces injonctions absurdes. Quand, pendant l'Occupation, l'officier et écrivain allemand Ernst Jünger, pour marquer sa désapprobation, ou peut-être par ironie, claquait des talons et s'inclinait devant les juifs porteurs de l'étoile[43], personne ne l'a persécuté. Et quand quelques soldats du 101e bataillon ont avoué qu'ils n'avaient pas pu tuer les enfants, ils n'ont pas été punis. Ils ont simplement dit qu'ils n'avaient pas eu la force d'obéir, ils étaient désolés. Les « forts », les soumis qui avaient exécuté les ordres, pas une seconde ne s'étaient mis à la place des enfants assassinés ou de leurs familles. Cette attitude mentale correspond à une définition possible de la perversion qui définit un monde sans Autre. La « peste émotionnelle[44] » avait

42. Bensoussan G., « La destruction systématique des enfants, signature du génocide » in N. Holchaker, *Les Enfants de la guerre. Réparer l'irréparable*, Les Entretiens de Bordeaux, 31 janvier 2008.
43. Jünger E., *Journaux de guerre*, tome II : *1939-1948*, Paris, Gallimard, coll. « La Pléiade », 2008.
44. Rojzman C., « La "peste émotionnelle" » [2008], expression de Wilhelm Reich, à paraître *in Projet Utopie*, Neuchâtel, 9-12 juillet 2009.

contaminé les hommes « forts » qui s'étaient laissé entraîner au confort de l'obéissance morbide.

On ne devient pas normal impunément

Dans une contagion émotionnelle où l'absence d'empathie rend possible l'acte pervers, c'est la désobéissance qui
nécessite une grande force pour échapper à la pression
conformiste du groupe[45]. La haine n'est plus nécessaire, il
suffit d'écouter l'ordre du chef, de se laisser entraîner par
les voisins et de réciter quelques slogans qui légitiment le
crime qu'on vient de commettre. Il faut écraser les cancrelats qui polluent nos champs, il faut tuer les enfants qui
vont devenir les ennemis de celui qu'on vénère. Les victimes ont une puissance occulte et maléfique qu'il convient
de purifier par un nettoyage ethnique. Le sujet n'a plus
d'importance lors des convulsions sociales. Quand un
groupe est en difficulté, le « je » disparaît, remplacé par
une icône, un héros, un délégué narcissique qui va sauver
le peuple. Le crime de masse devient un des beaux-arts !

« On ne devient pas normal impunément[46] », ça coûte
même assez cher. Quand on arrive au monde, on pourrait
être tout, mais pour devenir quelqu'un il faut renoncer à
tous les autres qu'on aurait pu devenir. Par bonheur, les
troubles de la mémoire aident à la construction du Moi.

Quand survient un trauma, quand une contrainte extérieure nous fracasse, l'agonie psychique se transforme
en étoile noire qui oriente désormais la poursuite des

45. Semelin J., *Purifier ou détruire. Usages politiques des massacres et génocides*, Paris, Seuil, 2005, p. 312-318.
46. Cioran E. M., *Œuvres*, Paris, Gallimard, coll. « Quarto », 1995.

développements : « J'aime pas le passé, c'est trop difficile,
d'abord le passé simple, ça n'existe pas, il n'y a que du passé
compliqué[47]. » Tous les enfants blessés ont peur du passé.
Le fracas n'est pas pensable, il faut percevoir le danger
pour le fuir ou s'immobiliser et surtout ne pas penser pour
ne pas souffrir. Quand le coup est immense, toute mémoire
fait revenir la souffrance du coup : « Je ne pense qu'à ça, la
moindre banalité rappelle la blessure passée. Dans la journée, les images de l'horreur reviennent et la nuit elles resur-
gissent dans mes cauchemars. Je suis prisonnier de mon
passé. Je ne pense qu'à le fuir et je n'y parviens pas. » Cette
réaction altère la représentation de soi. « Mon histoire
démarre mal. À l'origine de moi, il y a un trou noir, une
escarre, une partie morte de mon psychisme, comment
pourrai-je raconter mon histoire ? Comment vais-je organiser ma vie autour d'une escarre ? Quand j'ai peur de me
représenter mon passé parce qu'il y a dans mon histoire
une tragédie angoissante, je sens naître en moi un sentiment de désespoir qui imprègne mes rêves d'avenir. »

La première mémoire est celle du corps, elle est faite
d'empreintes et non de souvenirs. Les traces cérébrales
créent des circuits neuronaux qui renforcent une aptitude à
percevoir certaines informations et à en négliger d'autres[48].
Nous ne nous rendons même pas compte que le monde que
nous connaissons est celui que nous percevons le plus facilement, parce que les empreintes précoces nous y ont rendus particulièrement sensibles. Quand on a toujours été

---

47. S. 11 ans, cité dans : Abels-Eber C., *Enfants placés et construction d'historicité*, Paris, L'Harmattan, 2000, p. 30.
48. La notion de « frayage », utilisée par Freud, crée des circuits où l'information est facilitée par le fonctionnement de l'appareil neuronique. Freud S., « Projet
de psychologie scientifique » [1895], *in La Naissance de la psychanalyse*, Paris, PUF,
p. 307-396.

malheureux, on ne peut même pas imaginer le bonheur. On souffre, c'est tout. Alors, on devient attentif à tous les malheurs du monde. Ça remplit notre monde intime, ça alimente nos ruminations douloureuses et, curieusement aussi, ça nous invite au plaisir de comprendre. La désolation finit par ne plus être désagréable, car « les vraies afflictions ont leurs délices : les vraies afflictions n'ennuient jamais parce qu'elles occupent beaucoup l'âme[49] ». Au moment où le trauma réel nous a frappé, il était impossible de penser, mais lorsque la vie est revenue la souffrance a côtoyé la passion ! La contemplation du passé est tellement captivante qu'elle finit par provoquer le plaisir de comprendre. La rage engourdit la souffrance et le besoin de l'embellir (vous avez bien lu) permet de partager la métamorphose réussie.

Cette réaction de défense explique l'esthétisation de la souffrance qui remplit nos musées et nos œuvres d'art. Sans souffrance transformée en beauté, il n'y aurait pas de passion du Christ, pas de *Radeau de la Méduse*, pas de films, pas de romans, pas d'essais philosophiques. Il y aurait de la souffrance, c'est tout. Cette contrainte à la métamorphose pour revenir à la vie permet aussi de partager l'expérience vécue de la mort : « J'ai été mort et quand je parviens à vous le dire, quand vous acceptez de l'entendre nous devenons intimes. » On maîtrise la souffrance, on en fait une œuvre d'art et l'on s'en sert pour transformer le spectateur en complice, en nouvelle base de sécurité. Quand le poids de l'histoire est lourd, la méta-

---

49. Montesquieu C. de, « Sur le bonheur, Cahiers II », *in* R.-P. Droit, *Où est le bonheur ?*, Le Monde Éditions, 1994.

morphose du crapaud en fée donne sens à notre vie. « Il faut que je m'en sorte et que ma terrible expérience m'aide à protéger ceux qui veulent bien m'aimer. » Le poids de la non-histoire est encore plus lourd quand on ne parvient pas à donner forme au fracas parce que la souffrance nous hébète ou que notre entourage nous fait taire.

Détruire le langage

Les enfants sont capables de récits bien plus tôt qu'on le croyait, et bien plus cohérents. Quand ils sont hébétés par le malheur, ils croient qu'il ne faut pas en parler puisqu'on les fait taire. Mais, dès qu'on les aide à s'exprimer, en racontant *Le Petit Poucet* ou *Peau-d'Âne*, en commentant leurs dessins, en parlant de ceux qui leur ressemblent, ils finissent par dire : « Je ne savais pas que j'étais capable de raconter tout ça[50]. » Sitôt qu'on propose une relation aux petits blessés, ils se mettent à rêver, ils inventent un roman où le dénouement leur donne espoir : « Papa deviendrait gentil, on s'aimerait, on se promènerait, on serait riches. » Ce rêve intentionnel, cette mise en scène d'un bonheur imaginé fabrique un sentiment de bien-être qui permet d'échapper au réel douloureux : « L'imaginaire... donne à l'humain la possibilité de s'affranchir de la réalité, de la penser autrement... grâce à des représentations, des scénarios qui viennent se substituer à la réalité extérieure[51]. »

La destruction du langage ou son interdit empêchent le mot de tenir la chose à distance. Le réel cogne encore le

---

50. Abels-Ebel C., *Enfants placés et construction d'historicité, op. cit.*, p. 106.
51. Bergier B., *Les Affranchis*, Paris, Desclée de Brouwer, 1996.

blessé qui ne peut le contrôler, alors que le dessin, le théâtre, le mot parlé ou écrit permettent de maîtriser le sentiment d'être agressé, de renouer avec ses proches et de suturer les déchirures du moi[52].

L'anéantissement du langage est souvent provoqué par certaines réactions de l'entourage. En situation de guerre ou après un inceste, l'enfant pense que sa parole condamne à mort les gens qu'il aime : « Si je dis à maman ce que mon père m'a fait, elle va mourir. » Comment dire ce qui est impensable : « J'écoutais son souffle d'agonisant et quand il a cessé de respirer, je lui ai pris son morceau de pain... alors, je me suis endormi avec plaisir le long de son cadavre[53]. » Comment dire ça sans honte et sans provoquer la répulsion de ceux que l'on aime ?

Au moment même de l'horreur, une braise de résilience peut s'enflammer sous la cendre : « Si nous nous en sommes sortis tous trois à peu près indemnes, nous devons nous en être mutuellement reconnaissants[54]. » Les survivants ne se sentent compris que par ceux qui ont survécu. Le côtoiement de la mort, initiation tragique, crée un sentiment d'appartenance exclusive : « Nous ne pouvons en parler simplement qu'entre nous, les autres ne comprennent pas, ils ne voient que l'horreur, ils ne savent pas qu'il y avait de la beauté quand nous nous entraidions. » Il y a une indécence à raconter ses malheurs, il y a une arrogance à exposer ses bonheurs. Alors, pour s'adresser aux non-initiés, on emploie des stéréotypes qui permettent de dire des mots

52. Tellier A., *Expériences traumatiques et écritures*, Paris, Anthropos, 1996, p. 51.
53. Levi P., *Si c'est un homme* [1958], Paris, Presses Pocket, 1988.
54. *Idem*, p. 184-185.

qui ne veulent rien dire, mais aident à coexister poliment, sans vraiment communiquer.

Dans une catastrophe humaine, quand toute relation authentique devient impossible, deux points d'appui permettront plus tard une reprise résiliente : la rêverie et l'espoir de témoigner. « La fantaisie devient l'outil principal pour affronter et intégrer l'événement traumatisant[55]. » Les jeux répétitifs des enfants qui jouent à la guerre pendant la guerre, la pensée magique qui offre le plaisir de s'imaginer qu'on est capable de provoquer la paix ou de tuer les méchants, d'une simple formule magique, l'espoir improbable de l'humilié qui pense que, plus tard, il fera une œuvre d'art ou témoignera de l'événement exceptionnel qu'il est en train de vivre constituent des fantaisies protectrices. Quand la représentation du passé impose la persistance de l'image horrible, elle prépare la souffrance psychotraumatique, mais un rêve fou qui utilise le fracas pour en faire un roman amorce une possible résilience. Le blessé qui se fait « une représentation de soi en relation avec les autres[56] » et se propose de la raconter échappe à la prison du passé. Il faudra bien que je le dise puisque « j'en suis le témoin interne... garant d'une place parmi mes semblables[57] ». Quand le survivant se trouve enfin en situation de parler, son témoignage dépend des réactions émotionnelles de son entourage : « Voici ma sœur, dit Primo Levi, quelques amis... ils sont tous là à écouter... c'est une jouissance physique inexprimable que d'être chez moi

---

55. Ehrensaft E., Kapur M., Tousignant M., *Les Enfants de la guerre et de la pauvreté dans le tiers-monde*, Montréal, Gaëtan Morin, 1999, p. 646.
56. Bowlby J., *Attachement et perte*, tome II : *La Séparation. Angoisse et colère*, 1978, p. 269-273.
57. Chiantaretto J. F., « Primo Levi. Trouver en soi la force de résister », *Sciences de l'homme et sociétés*, septembre 2005, 53, n° 8.

entouré de personnes aimées... j'ai tant de choses à raconter, mais c'est peine perdue, je m'aperçois que mes auditeurs ne me suivent pas. Ils sont même complètement indifférents. Ma sœur me regarde, se lève et s'en va sans un mot. Alors, une désolation totale m'envahit, comme certains désespoirs enfouis dans les souvenirs de la petite enfance[58]. »

Ce dont le revenant doit témoigner est tellement impensable que les proches ne peuvent pas le penser, ils se concentrent sur autre chose, ils banalisent afin d'intégrer le témoignage dans leur vie quotidienne, ils se réfugient dans l'urgence domestique. « Alors, je prends mon crayon et j'écris ce que je ne pourrai dire à personne[59] », ajoute le témoin contraint au silence. « Nous avions dans les nuits sauvages des rêves denses et violents que nous rêvions corps et âmes : rentrer manger, raconter... Maintenant que nous avons retrouvé notre foyer, notre ventre est rassasié. Nous avons fini notre récit[60]. »

« Si je n'avais pas été à Auschwitz, je n'aurais probablement jamais écrit ou j'aurais écrit des choses complètement différentes, peut-être de savants articles de chimie[61]. » Quand un fracas chasse un homme de la condition humaine, quand il est indécent de parler et impossible de se taire, l'écriture accorde un détour supportable. Il ne s'agit pas de faire revenir le passé qui réveillerait la douleur, il s'agit de maîtriser le sentiment blessé et de le rema-

---

58. Levi P., *Si c'est un homme*, Paris, Julliard, 1987.
59. Levi P., postface de *Si c'est un homme*, Édition Scolaire, 1976.
60. Levi P., *La Trêve*, Paris, Grasset, coll. « Les Cahiers rouges », 1963.
61. Amsallem D., *Primo Levi. Le témoin, l'écrivain, le chimiste*, Lyon, Éditions du Cosmogone, 2001, p. 13.

nier pour en faire une action politique, philosophique ou artistique[62].

Le récit qu'on se fait de ce qui nous est arrivé prend la forme que lui donne notre mémoire. Mais nos souvenirs dépendent autant des réactions de nos figures d'attachement que des histoires que notre entourage compose avec ce qui nous est arrivé. Nous prévoyons ce qui va se passer selon l'expérience de ce qui s'est passé. « Dans la vie, on ne peut compter que sur soi », pense l'adolescent déçu par ses parents. « Il ne faut jamais hésiter à solliciter ceux qui ont le pouvoir », estime la jeune femme qui se rappelle que, dans son histoire, chaque requête a été couronnée de succès.

Il s'agit de la mémoire de soi, de la représentation qu'on se fait de son passé, bien plus que des faits qui se sont réellement produit. Au cours des maladies bipolaires, quand le sujet est en pleine euphorie maniaque, il se rappelle les bons souvenirs qui justifient son euphorie. Puis, quand soudainement il redevient mélancolique, son humeur, triste à en mourir, sélectionne les souvenirs qui « expliquent », donnent une forme imagée à sa douleur morale. Le patient ne ment jamais, simplement il évoque des souvenirs différents. Cette représentation active de son passé nous fait comprendre pourquoi, en psychothérapie ou dans leurs autobiographies, les frères et sœurs ne racontent jamais les mêmes parents. Le garçon dit qu'il était écrasé par son père, alors que la fille raconte qu'elle ne se sentait légère qu'auprès de lui. Pour rendre compte de ce phénomène, les psychanalystes parlent de « l'introjection d'un

---

62. Semprun J., *L'Écriture ou la vie*, Paris, Gallimard, 1994.

objet » (bon ou mauvais)[63]. Les attachementistes préfèrent employer l'expression « modèle interne opératoire » (MIO), qui correspond aux démarches expérimentales. Je trouve plus facile d'évoquer un cinéma de soi qui sert de patron à la vision du monde et déclenche nos engagements sentimentaux : « Avec ce qui m'est arrivé, comment voulez-vous qu'on m'aime ? », ou « ce n'est même pas la peine d'essayer, je n'y arrive jamais ! ».

Mémoire traumatique et contresens affectueux

J'ai mis dans mon jardin des chaises en fonte, dans ma cuisine des chaises en bois et dans mon salon des chaises Louis XV. Tous ces objets sont des chaises qui constituent un invariant. Et pourtant, si je mets dans mon salon une chaise en fonte et dans ma cuisine une chaise Louis XV, cette variable me fera éprouver un sentiment d'incongruité. Ça ne colle pas, parce que mon passé a inscrit dans ma mémoire une cohérence où les chaises en fonte doivent être dans le jardin et les chaises en bois dans la cuisine. « J'ai acquis dans ma mémoire un schéma de disposition des chaises[64]. »

La mémoire traumatique est ainsi structurée que « des détails sans importance peuvent s'y imprimer à l'occasion d'un événement particulièrement chargé d'émotion[65] ». Pour donner cohérence à ces détails traumatiques, le travail

---

63. Bowlby J., *Attachement et perte*, tome II : *La Séparation. Angoisse et colère*, *op. cit.*, p. 270.
64. Rossi J.-P., « Le rôle des schémas cognitifs », *in De la mémoire épisodique à la mémoire sémantique*, Bruxelles, De Boeck, 2006.
65. Auriat N., *Les Défaillances de la mémoire humaine. Aspects cognitifs des enquêtes rétrospectives*, Paris, Ined/PUF, 1996, p. 49.

de représentation d'un tel passé doit intégrer des données invraisemblables, dans un contexte imaginé pour les rendre vraisemblables. En redonnant une cohérence aux souvenirs, la mémoire traumatique arrange la représentation du passé. Des fragments de mémoire, étonnamment précis, sont entourés d'un halo de souvenirs recomposés afin de rendre l'événement logique pour les autres. Il ne s'agit pas d'un mensonge, bien au contraire, le blessé, pour rendre cohérente l'incohérence de son fracas, remanie les morceaux du puzzle de sa mémoire et en fait un script[66], un scénario congruent aux récits sociaux, aux mythes et même aux préjugés.

La plupart des conflits familiaux sont provoqués par des divergences de cinémas de soi (MIO). Un événement provoque une dispute entre proches quand la signification qui lui est attribuée par l'un est méconnue par l'autre. Il était serein, ce père émigré de Pologne dans les années 1930 ! Il travaillait beaucoup et, pour ne pas se plaindre le soir, il racontait gaiement les événements de sa journée. Il fut arrêté lors des rafles de 1942 et, quand il est revenu, survivant en 1944, on ne le reconnaissait plus, tant il était devenu triste et suicidaire. Judith, sa fille, l'aimait beaucoup avant la guerre, mais le rejetait depuis son retour, qui avait apporté la morosité dans le foyer. Judith n'avait pas beaucoup d'appétit, ce qui ne posait aucun problème, elle avait un petit appétit, c'est tout. Son père en revanche ne supportait pas son absence de plaisir de manger. « Je suis mort de faim pendant des années, disait-il, j'ai accepté de m'avilir, j'ai mangé des ordures, j'ai lapé la soupe par terre,

66. Shank R., Abelson R. P., *Scripts, Plans, Goals and Understanding*, Hillsdale, 1977, Erlbaum, n° 5.

juste pour survivre. Je fais aujourd'hui un métier dont j'ai horreur uniquement pour que ma famille puisse se nourrir à sa faim... et ma fille chipote! En refusant de manger, elle méprise mes souffrances, elle disqualifie le sacrifice que je fais pour ma famille. » Et la fille pense : « Mon père était gentil avant son départ, il m'effraie maintenant. Il se tait, paraît sombre et soudain explose. Je n'ai jamais très faim, c'est sans importance, et pour lui c'est un crime! Il se déchaîne et me force à manger alors que ça me dégoûte. C'est un tyran qui m'angoisse et me rend malheureuse. »

Trente ans plus tard, Judith décide d'emmener son fils à Birkenau dont le père n'a su parlerque violemment. Elle dit : « Je marchais sur la pointe des pieds car j'avais l'impression de marcher sur les morts... J'avais besoin de voir les lieux pour mieux le comprendre... Je regrette d'avoir été injuste avec mon père... C'est important de reconstruire une mémoire. Tout le monde comprend différemment... on était loin de comprendre ce qu'il nous disait [67]. »

Trente ans plus tard, elle découvrait que le conflit reposait sur un contresens affectueux! La représentation qu'on se fait de soi peut changer quand un événement change l'orientation de notre regard : « Depuis mon voyage à Birkenau, je ne vois plus les choses comme avant. » La mémoire recomposée après la visite avait changé sa représentation de soi. Elle n'était plus la petite fille qui ne comprenait pas pourquoi son père l'humiliait en la forçant à manger.

Notre petite liberté consiste simplement à tenter la chance, à provoquer l'événement qui nous fera voir les

---

67. Mouchenik Y., « Traumas, deuils et transmissions », *Psychomédia*, mars-avril-mai 2008, n° 16, p. 59-63.

choses autrement. Quand les parents traumatisés ont du mal à recoller les morceaux de leur Moi fracassé, leurs enfants acquièrent un attachement insécure[68]. Mais cette transmission n'est pas inexorable puisqu'on peut nous-même provoquer un événement qui changera nos représentations et nos croyances.

La vérité narrative n'est donc pas tout à fait la vérité historique. L'historien part à la recherche d'archives qui tiennent ensemble grâce à une théorie qui leur donne cohérence. Alors que le récit que vous vous faites de votre existence n'est composé que d'événements relationnels[69] où vous revoyez le film de vos rencontres amicales, de vos rituels familiaux ou des conflits avec votre entourage. Le socle de votre autobiographie est rempli par ce que vous avez extrait de votre contexte : votre monde intime est peuplé par les autres !

Abandonné tous les dimanches

Il n'y a pas longtemps, les couples qui désiraient adopter un enfant se rendaient à l'orphelinat un dimanche et en choisissaient un. On alignait les enfants et les parents se servaient. C'est ainsi que les petits délaissés inscrivaient dans leur mémoire que, tous les dimanches, ils étaient à nouveau abandonnés. Progressivement, ce scénario était intériorisé et, pour lui donner cohérence, les enfants expli-

---

68. Zeanah C. H., Anders T. F., « Subjectivity in parent-infant relationships. A discussion of internal-working models », *Infant Mental Health Journal*, 1987, 3, p. 237-250.
69. Schiff B., Noy C., Cohler B. J., « Collected stories in the life narrative of holocaust survivors », *Narrative Inquiry*, 2001, 11, p. 159-194.

quaient que leurs abandons répétés étaient justifiés par leur laideur, leur médiocrité intellectuelle et leur moindre valeur humaine. Ils répondaient à l'image de soi que ce scénario de sélection leur avait enseignée. À la moindre épreuve, ils partaient battus, ils évitaient le regard et n'osaient pas s'affirmer en prenant la parole.

Ce film de soi qui met en scène notre propre histoire est vrai comme sont vraies les chimères : les éléments qui composent l'animal sont constitués par les transactions passées avec l'entourage. La plupart des orphelins non choisis ne parvenaient même pas à faire un récit de ce qui leur était arrivé. Ils se voyaient comme des enfants-poubelles, ils répondaient à cette image de soi en s'engageant dans des relations d'évitement, de soumission ou de rébellion[70].

On peut donc établir une corrélation entre le récit de soi et notre manière d'établir des relations affectives. Il y a des récits d'agonie, de soumission ou de révolte. Quant aux récits de résilience, ils sont étonnamment contre-intuitifs : « J'ai toujours eu de la chance », dit Zoé Mugatesi, jeune Rwandaise qui me raconte comment un soir, en rentrant chez elle, elle a vu la tête de sa mère posée sur la table de la cuisine. Mais elle ajoute : « C'est une voisine hutue qui est venue me chercher. À cause de ça, elle a été tuée à son tour. J'ai alors été placée dans une famille qui m'a beaucoup maltraitée. Mais quand le curé s'en est aperçu, il m'a confiée à une autre famille, bien plus gentille. Je n'ai jamais pu aller à l'école, mais sœur Marie venait parfois m'apprendre à lire. J'ai vraiment eu beaucoup de chance ! » L'escarre traumatique à l'origine de ce terrible récit devient un nouvel orga-

---

70. Cyrulnik B., *Sous le signe du lien*, Paris, Hachette, 1989, p. 261-281.

nisateur du Moi. Mais à côté de cette mort psychique partielle, une sorte d'étoile du Berger se met à signifier : même dans les moments les plus terribles de l'existence, on peut s'attendre à ce qu'un personnage merveilleux survienne. Ce thème est le ressort de la plupart des romans, comme si l'enfant disait : « Je souffre, bien sûr, mais soyons attentif car une merveille va surgir. »

Quand le sujet a dû affronter un réel terrifiant et que, après le coup, il est contraint d'y repenser, deux stratégies s'offrent à lui. Soit le souvenir fait revenir dans sa conscience l'horreur du réel et l'effroi qui l'accompagne, soit le psychisme fracassé s'accroche à un détail de beauté au milieu de l'horreur (il y a de la bonté même chez les Hutus, les curés m'ont toujours protégée, sœur Marie était tellement patiente), et cette représentation partiellement vraie finit par se substituer à l'horreur. Quand la réalité est source de souffrance, on peut s'en évader dans la rêverie[71]. L'action et la rêverie deviennent, dans un tel contexte, de précieux facteurs de survie psychique. L'homme heureux n'a pas besoin de rêverie, pensait Freud, mais il apprécie qu'un malheureux lui raconte comment il a fait pour devenir heureux. Il pleure de tristesse agréable quand un blessé triomphant raconte sa douloureuse victoire dans une pièce de théâtre ou dans un roman. Quand l'homme transforme sa souffrance en œuvre d'art, il invite le non-blessé à sortir de son égocentrisme, à découvrir une autre manière de devenir humain, à entendre de « belles histoires qui font oublier la plate réalité et nous donnent le courage de travailler à la transformer[72] ».

---

71. Freud S., *Malaise dans la culture* [1930], Paris, PUF, 1995.
72. Janet P., *Névroses et idées fixes* (2 volumes) [1898], Paris, Société Pierre Janet, 1990.

L'histoire est un produit dangereux

Tout n'est pas rose dans l'existence quand le fait d'avoir été agressé légitime une contre-violence défensive. Alors l'histoire devient un produit dangereux, qui nous enivre de rêves de vengeance, entretient nos blessures, tourmente nos nuits et s'empare de nos pensées jusqu'à construire un délire logique. Le douloureux plaisir de la résignation alterne avec les vigoureux sursauts de bouffées de haine : « C'est normal que je ne m'en sorte pas, après ce qu'ils m'ont fait. Seule la vengeance pourra mettre un baume sur mes blessures. » Triste adaptation.

Pour ceux qui ont appris à se réfugier dans la rêverie et souffrent d'une existence quotidienne engourdie au point de provoquer une sensation de non-vie, un récit de victoire suffit à provoquer un sentiment d'aventure. Pour ceux qui savent se payer de rêves, la simple narration du combat avec le dragon enflamme le monde de leurs représentations intimes. Alors, ils racontent comment des loups les ont sauvés de la Shoah [73]. Ils inventent des fables où ils ont réussi à devenir musiciens après avoir surmonté l'horreur d'Auschwitz [74]. Ces merveilleuses victoires contre un incroyable malheur les remplissent de bonheur et enchantent leurs lecteurs. S'ils n'avaient pas eu le talent de mettre en mots et en images la légende de leur victoire contre le dragon, ils

---

73. Defonseca M., *Survivre avec les loups*, Paris, XO, 2008.
74. Wilkomirski, *in* Lappin E., *L'homme qui avait deux têtes*, Paris, L'Olivier, 1999. Defonseca et Wilkomirski, deux mythomanes, se sont inventé un passé de juifs persécutés afin de se créer un sentiment d'épopée. Et Wilkomirski B., *Fragments : une enfance 1939-1948*, Paris, Calmann-Lévy, 1997.

n'auraient pu raconter qu'une existence insipide. Rien à dire. La solitude. Alors que la mise en scène d'un malheur métamorphosé en incroyable aventure a inventé un monde enchanté que tout le monde a voulu visiter. L'entourage s'est fait complice du bonheur de ces mythomanes.

Les récits familiaux fonctionnent comme de petits mythes, des scénarios qui permettent d'habiter un même récit, de partager une croyance et de régler les rituels qui consolident l'affection[75]. Le simple arrangement des mots organise une structure affective où baigne le groupe familial. On se raconte à la veillée nos folles aventures et ces récits provoquent des sentiments de honte, de malheur, de fierté ou d'arrogance qui s'imprègnent dans la mémoire de chaque membre du groupe. « Le processus historique a été rendu possible par l'émergence et le développement des instruments sémiotiques[76] » : la manière de raconter nos histoires structure les sentiments que chacun d'entre nous éprouve.

Les Arméniens après le génocide ont intériorisé les valeurs morales de leurs parents : « Il faut travailler, étudier et ne jamais se plaindre », disaient-ils. Cette population s'est bien intégrée dans toutes les cultures d'accueil, chrétiennes ou musulmanes. Mais le lourd silence des parents a transmis une angoisse, en même temps qu'une valeur[77]. « Pendant toute mon enfance, je me suis demandé pourquoi ma grand-mère avait une énorme cicatrice sous la mâchoire, d'une oreille à l'autre. Il a fallu que j'attende

---

75. Byng-Hall J., *Rewriting Family Scripts : Improvisation and Systems Change*, New York, Guilford Press, 1995.
76. Bronckart J.-P., *Activité langagière, textes et discours*, Paris-Lausanne, Delachaux et Niestlé, 1997, p. 19.
77. Kevorkian R., *Le Génocide des Arméniens*, Paris, Odile Jacob, 2006.

presque la quarantaine pour que mon père m'explique que son tueur, probablement pressé, avait ouvert la gorge en ratant les carotides. Dès la fin de la phrase, le sentiment que j'éprouvais pour ma grand-mère avait changé. Je l'admirais d'avoir survécu et puis je la craignais en découvrant une telle force en elle. Je suis devenue moins spontanée. Je me suis mise à l'aimer de loin, comme on aime avec respect, admiration... et crainte. »

Le même phénomène de structuration affective par un récit a été observé chez les petits Rwandais. Les adolescents qui ont pu rester dans une collectivité où l'on transmettait les valeurs de leur culture et qui ont adhéré aux explications du génocide fournies par leurs parents ont composé un groupe résilient. Ils ont repris un développement, se sont socialisés et ont pu parler librement afin de chercher à comprendre les mécanismes d'une telle folie sociale.

À l'inverse, quand les circonstances de la survie ont éparpillé les enfants, ils sont restés altérés parce que personne autour d'eux n'a pu utiliser une narration pour donner sens à l'horreur. Parfois, un sursaut de dignité, comme une bagarre, une fugue ou une rébellion, rabibochait momentanément leur narcissisme déchiré. Mais ce bénéfice immédiat, en les isolant, empêchait le lent processus de la résilience. Ils n'ont pas bénéficié de la cohésion affective d'un groupe à l'occasion des rituels religieux ou laïcs, ils n'ont pas entendu les récits qui auraient donné sens au chaos impensable, ils n'ont pas reçu les consignes de la bonne conduite qui leur auraient permis de reprendre place dans leur culture.

Les récits structurants ne sont pas structurés au hasard, « ils sont composés d'une signification centrale, un thème commun entouré de significations satellites plus personnelles[78]». Autour de la stupeur d'avoir été massacrés pour des raisons inconnues gravitent des souvenirs d'horreur autant que de générosité, de lâcheté et de courage, de soumission à un délire de propagande ou parfois de surprenante résistance intellectuelle. Ainsi se compose la représentation du réel d'un persécuté : au milieu de l'enfer, un petit coin de paradis.

La non-histoire est encore plus dangereuse

Quand les parents survivants veulent ne rien transmettre... ils transmettent une étrangeté! Un enfant sent clairement que ce n'est pas normal que ses parents s'appliquent à ne rien transmettre. Mais lorsqu'ils se racontent, ils font de leurs récits un legs que l'enfant interprète selon sa propre personnalité. Quand un petit garçon entend l'histoire de son père triomphant du Dragon, le sens qu'il donne à cette narration dépend de sa jeune histoire : « Je considérais mon père comme un héros. Pour survivre à tout cela alors que les autres étaient morts, il avait dû être très fort[79]... » Mais un autre enfant se méfie d'un même récit et avoue à sa mère : « Si Papa est revenu des camps de la mort, c'est qu'il a trahi et pactisé avec les nazis, n'est-ce pas ? » Quand le retour du père a été une fête, sa blessure a pris une signification héroïque. Mais lorsque le revenant a

---

78. Antonovsky A., « Intergenerational networks and transmitting the sense of coherence », *in* N. Datan, A. L. Greene, H. W. Reese (éds.), *Life-Span Developmental Psychology : Intergenerations Relations*, Hillsdale (NJ), Lawrence Erlbaum, 1986, p. 211-222.
79. Allouche N., Masson J.-Y., *Ce qu'il reste de nous. Les déportés et leurs familles témoignent*, Paris, Michel Lafon, 2005, p. 39.

ramené la souffrance à l'intérieur de son foyer, sa survie a été interprétée comme une trahison. Les conditions du retour ont attribué au même fait un sens opposé !

Le silence transmet une étrangeté qui peut angoisser l'enfant, autant que le stimuler comme le ferait l'énigme d'un roman policier. Quand le survivant parle, son récit peut provoquer un sentiment d'horreur, mais il n'est pas rare que l'enfant l'entende comme une épopée. Les conditions du contexte, la structure des récits peuvent créer un sentiment de honte autant que de fierté : « En parlant sans cesse du Rwanda, vous m'avez fait vivre dans l'horreur », reproche à ses parents Zoé, la jeune Tutsie. Et le père répond : « Tu as tort de te plaindre pour un petit chagrin. Ce n'est rien comparé à ce que j'ai subi. » Cet arrangement entre deux mondes intimes, ce dérangement plutôt, est transmis par la rhétorique, la façon de parler. Les gestes, les mimiques, les silences et l'agencement des mots remplissent le vide entre apparentés et permettent la rencontre de leurs mondes intimes. La rhétorique devient l'instrument de l'accordage affectif. Un simple récit permet d'analyser non seulement ce qui a fait événement pour celui qui parle, mais en plus l'agencement de ses mots témoigne de la manière dont son monde intime a été construit[80]. C'est pourquoi avec une seule existence on peut écrire mille autobiographies différentes, toutes plus vraies les unes que les autres.

Quand une personne raconte une histoire cohérente, sa manière de dire expose une vision intégrée de ses souvenirs. Le monde présenté aux enfants transmet des valeurs

---

80. Kaplan G. C., Main M., *The Adult Attachment Interview Protocol*, département de psychologie, University of California at Berkeley, 1996, 3ᵉ édition.

claires et des modèles paisibles. Or les traumatisés ne peuvent pas composer de tels récits puisque leur histoire est un tas de fumier bourré de pierres précieuses.

Il arrive que les récits soient rejetants ou disqualifiants : « C'est fini tout ça... On n'en parle plus... Arrête de te faire du mal avec le passé. » Dans cette manière de parler, on trouve souvent l'affectivité évitante de ceux qui aiment du bout des lèvres.

Les discours radotants se dispersent dans les détails, se ramifient, partent en tous sens, tournent autour du pot en éludant l'essentiel. Les enfants de ceux qui parlent ainsi deviennent souvent ambivalents. Ils noient le poisson dans l'eau quand ils veulent déclarer leur amour. Dans cette population, on trouve beaucoup d'enfants dont les parents ont masqué leur souffrance derrière un flot de paroles.

Le plus souvent c'est par un discours troué que le sujet blessé raconte son histoire : d'abord cohérente et puis soudain enchevêtrée, coléreuse ou silencieuse, attirant ainsi l'attention de l'auditeur surpris sur ce que le traumatisé désirait cacher. C'est dans ce type de discours qu'on trouve le plus grand nombre de traumas parentaux, de pertes non résolues qui transmettent à l'enfant un attachement anxieux.

La rhétorique est une structure affective

C'est donc la rhétorique familiale, la manière de raconter son histoire avec des mimiques et des postures, avec l'agencement de mots cohérents et puis soudain troués, avec une prosodie désinvolte dont un trémolo inattendu indique le lieu de la souffrance, c'est avec cette théâtralité que s'organise l'enveloppe de signifiants sensoriels qui entourent l'enfant et tutorisent ses sentiments. Ce n'est pas le fait qui est la cause du sentiment de honte ou de fierté, c'est la manière dont les récits d'alentour organisent la rhétorique où baignera l'enfant[81].

Ces récits nous contraignent souvent à faire secret de ce qui s'est passé. Les conditions du fracas installent dans la mémoire les briques de représentations du réel qui permettront de se construire une histoire. Dans toutes les guerres, il a fallu cacher un enfant pour le protéger, ou lui cacher quelque chose, ou lui demander de cacher un événement. Dans ces conditions, la structure de l'événement qui frappe la personne négocie avec la structure de la rhétorique qui raconte comment elle a été frappée. Après avoir vécu un fait dans le réel, on le revit une seconde fois dans le récit qu'on en fait. Les conditions de la cache alimenteront plus tard la manière dont on se rappellera l'événement et dont on pourra en parler avec son entourage : avoir été brutalement arraché à ses parents ne laisse pas la même trace qu'en avoir été insidieusement séparé. Attendre leur retour après leur mort, ne pas avoir secouru celui qui vous a aidé, réussir à s'évader malgré la puissance des tueurs, affronter l'armée d'occupation, toutes ces scènes différentes laissent dans notre mémoire quelques morceaux de réel qui vont alimenter les représentations de soi. Elles seront honteuses ou fières selon la manière dont elles vont s'arranger avec les récits de l'entourage.

---

81. Heireman M., « Le livre des comptes familiaux », *in* P. Guynet (dir.), *Hér-tages. Les enjeux psychiques de la transmission*, Paris, L'Harmattan, 2003, p. 80-81

Les esclaves noirs arrachés à l'Afrique, maltraités et humiliés pendant des siècles, les Arméniens hébétés par la sauvagerie des massacres, les Espagnols qui n'osent toujours pas parler de la guerre civile, les survivants juifs, les Rwandais, les Algériens, les Cambodgiens, les Chiliens, les cinq survivants du massacre d'Oradour-sur-Glane, contraints à se taire afin de ne pas contrarier la réconciliation nationale[82] ont été clivés, coupés en deux par les récits d'alentour. Ils ne trouvaient un peu de soutien que s'ils acceptaient de communiquer au moyen de la moitié de la personnalité que leur société tolérait. Ils ne parvenaient à établir des liens que lorsqu'ils parlaient de travail, de famille, de petits bonheurs et de loisirs. Mais quand l'autre moitié, celle qui les faisait souffrir, tentait de s'exprimer, de donner sens ou d'appeler à l'aide, l'entourage les faisait taire.

Cette impossibilité de socialiser la tragédie provoque chez le blessé un sentiment de rejet, « comme si j'étais un monstre. Cette partie de moi impossible à exprimer parce qu'elle effraie et dégoûte les autres provoque en moi un sentiment de honte ». Condamné au mutisme sélectif afin de ne pas choquer, privé du soutien sécurisant de son entourage, le blessé est soumis à la mémoire de ce qui lui est arrivé. Quand les images de l'horreur ne sont pas remaniées par des récits partagés, le blessé ne peut s'en protéger, les maîtriser ni les tenir à distance. Alors elles reviennent comme des éclairs douloureux et s'imposent à leur conscience muette. Si vous vivez dans une communauté, un groupe ou une famille qui vous accepte avec votre bles-

---

82. Desourteaux A., Hébras R., *Notre village assassiné. Les chemins de la mémoire*, Oradour-sur-Glane, Centre de la mémoire, sans date.

sure, vous pourrez commencer à tricoter votre résilience. Mais si vos proches ou votre culture vous contraignent à ne vivre qu'avec la part de vous-même qu'ils tolèrent, vous pourrez vous épanouir avec cette moitié et souffrir en secret de l'autre qu'ils font taire[83].

Quand le récit que vous faites de l'histoire de votre vie coule comme une rivière avec quelques tempêtes, cette représentation autobiographique crée en vous un sentiment de continuité, une cohérence à laquelle vous pouvez répondre. Vous vous sentez parfois gai, parfois gêné, mais toujours le même malgré le changement et convaincu que ça va s'arranger puisque votre histoire est cohérente et que vous savez par expérience que vous pourrez vous débrouiller. La déchirure devient difficile à recoudre quand ceux qui vous entourent vous demandent de renoncer à la partie de vous-même qui vous torture et qu'ils ne supportent pas. Ce n'est donc pas le secret qui trouble, c'est la raison culturelle qui contraint au secret.

Helmuth avait dix-huit ans en 1938 quand il est venu s'installer en Moselle. Il épousa une Française avec qui il eut trois enfants. Pendant la guerre, le fils aîné surprit de temps à autre quelques remarques qui traitaient son père de « sale boche », mais comme il entendait sa mère expliquer que son mari avait fui le nazisme auquel il s'était opposé, l'enfant était fier de prendre sa défense. Après la guerre, il protégeait son père allemand et méprisait les « planqués » qui l'avaient traité de « sale boche ».

Dix ans après la fin de la guerre, le garçon a dû répondre à des policiers venus enquêter sur l'évasion de

83. Ehrensaft E., Tousignant M., « Immigration and resilience », *in* D. L. Sam et J. W. Berry, *Acculturation Psychology*, Cambridge University Press, 2006, p. 469-483.

son père d'une prison allemande où il avait été incarcéré après un hold-up. L'histoire changeait de forme et le nouveau récit ne pouvait plus induire le même sentiment de fierté.

Aucune histoire n'est innocente

Tous les enfants qui ont dû se cacher pour se sauver, puis faire secret de leur identité afin de survivre, qu'ils soient descendants d'esclaves, arméniens, juifs, rwandais ou blessés par une tragédie familiale, ont modifié la représentation de soi. Dans tous les cas, c'est la structure du contexte qui a imprégné l'enfant d'un nouveau sentiment. Quand l'environnement est dangereux, l'urgence psychique contraint à l'immobilité, à la fuite ou au combat : ne pas laisser divaguer la pensée, bien surveiller l'adversaire, ne pas bouger, ne penser qu'à ça, réagir. Le relâchement du corps qui entraîne l'énurésie, le gel de l'esprit qui empêche la souffrance sont des réponses adaptatives quand on risque de mourir[84]. Prisonnier de l'instant pour tenter de survivre, le processus de résilience ne pourra se déclencher qu'après le coup, quand le danger aura disparu et qu'un nouveau contexte permettra de reprendre une nouvelle vie... ou l'empêchera.

Le retour à la vie ne se fait pas « comme si de rien n'était ». Quand nos proches meurent, ils emportent avec eux une partie de notre âme. Nous survivons bien sûr, mais notre existence est amputée puisque dans notre mémoire

---

84. Levine P. A., *Réveiller le tigre. Guérir le traumatisme*, Charleroi, Socrate Éditions-Pomarex, 2004.

nous portons la sépulture de nos morts. Si, dans ces conditions, le retour à la vie se faisait sans détour, le plaisir de vivre deviendrait indécent : « Comment osez-vous être heureux, alors qu'hier encore vous n'étiez pas capable de trier les cendres de votre femme et de vos enfants et de les séparer de la terre où ils ont brûlé ? » Après l'incroyable massacre d'Oradour-sur-Glane où six cent quarante-deux innocents dont deux cent six enfants ont été brûlés sans savoir pourquoi[85], la résurrection du village a été laborieuse. Les cinq rescapés, les prisonniers de guerre, les réquisitionnés du travail en Allemagne ont découvert l'horreur en rentrant chez eux. Tous ont pensé qu'il était moral d'interdire toute fête, toute gaieté, tout sport, de ne porter que des vêtements sombres et de venir régulièrement sur les tombes vides censées contenir le corps d'un proche.

Le contexte aussi a une histoire. Les villageois qui n'étaient pas là au moment du massacre ont dû coordonner leurs récits avec ceux des rescapés. Les enfants se sont développés dans cette culture locale où le fait de baigner dans le malheur prenait la signification morale d'une solidarité avec les disparus. La convergence des récits construisait la signification de l'événement. La débâcle de l'armée allemande a permis à ces villageois de mettre au point un discours public encouragé par le général de Gaulle qui voulait garder les ruines en l'état, de façon à symboliser la barbarie nazie. Les commémorations, les inaugurations, les nobles discours furent nombreux jusqu'au jugement de Bordeaux qui, en juin 1953, a amnistié les assassins ! Il ne fallait pas condamner ces Français

---

85. Desourteaux A., Hébras R., *Notre village assassiné*, *Les Chemins de la Mémoire*, Oradour-sur-Glane, Centre de la mémoire [s.d.], p. 161.

engagés dans l'armée allemande afin de ne pas compromettre la politique de réconciliation nationale.

Le récit de la population, brûlée par la division Waffen SS Das Reich, puis assassinée une seconde fois par l'amnistie des tueurs, se dissociait complètement d'un silence familial où l'on s'empêchait de parler de ces horreurs.

Le sens que nous attribuons à un événement résulte de la transaction entre l'histoire que l'on se fait de soi et notre contexte historique. Cet arrangement où les récits se croisent peut relancer la résilience, mais il n'est pas rare que le compte rendu d'une blessure personnelle rencontre un discours familial culpabilisant ou un groupe négationniste qui tente d'effacer les traces du crime.

La mémoire du trauma est à double tranchant : sans mémoire, la vie est un non-sens, mais avec une tragédie dans la mémoire, elle est insupportable. Entre ce double danger, les blessés sont contraints à écrire une autre histoire dans laquelle baigneront leurs proches.

Voilà pourquoi aucune histoire n'est innocente. Tout récit participe à la naissance d'un sentiment qui construit nos espoirs, nos tristesses et nos étrangetés. Quand Yolande Mugusawa témoigne du génocide, elle partage la représentation de son monde intime avec ceux qui veulent bien l'écouter, elle travaille à développer l'empathie de l'auditoire qui cherche à la comprendre. Yolande ne se sent plus seule, exclue du monde, elle se fait à nouveau accepter par les autres. Mais le travail de mémoire n'est jamais terminé puisqu'en vieillissant elle verra les choses autrement. Si elle parvient à s'épanouir après l'effondrement, elle se sera rendue fière d'avoir survécu. Mais si elle échoue dans l'accomplissement de soi, elle attribuera au trauma tous les échecs de son existence.

Connaissant la structure d'un récit intime, nous pouvons prédire le sentiment qu'il va produire. Connaissant la structure des narrations qui enveloppent le blessé, les douleurs de sa famille, les mythes et préjugés de sa culture, nous pouvons évaluer comment les représentations de cet alentour vont infléchir les sentiments au point de les faire passer de la honte à la fierté. C'est pourquoi ce qu'on peut prédire à coup sûr... c'est la surprise !

Familles sans parents

Nous étions tellement habitués à penser qu'un enfant ne peut se développer que le long de maman-papa que nous ne pouvions même pas supposer à quel point les enfants se façonnent entre eux. Les guerres nous avaient pourtant fait découvrir que les orphelins poursuivaient parfois des développements convenables avec peu d'adultes autour d'eux[86]. Après la longue guerre civile du Liban (1975-1991), des évaluations psychologiques avaient pourtant confirmé que des orphelins regroupés témoignaient d'un épanouissement affectif, intellectuel et social tout à fait satisfaisant. Les enfants isolés se développaient mal, ce qui était prévisible, mais la surprise est venue quand les chercheurs ont constaté que les orphelins survivants en groupe souffraient moins et s'épanouissaient mieux que les enfants qui, ayant eu la chance de ne pas perdre leurs parents, se développaient dans des familles elles-mêmes traumatisées[87]. En

---

86. Fossion P., Rejas M. C., *Siegi Hirsch : au cœur des thérapies*, Ramonville-Saint-Agne, Érès, 2001.
87. Gannagé M., *L'Enfant, les parents et la guerre. Une étude clinique au Liban*, Paris, ESF, 1999.

Pologne, après les bombardements répétés (1941-1944), les perturbations psychiques et scolaires étaient nombreuses (51 % en 1947). Toutes les formes de souffrances psychiques étaient augmentées : névroses, bouffées d'angoisse, maladies psychosomatiques, troubles sphinctériens. Mais les chercheurs de l'époque avaient déjà noté que les enfants les plus altérés se trouvaient dans les familles les plus traumatisées. Plus on souffrait autour d'eux, plus les tuteurs de développement étaient altérés. Cette enveloppe de souffrances provoquait des troubles variés chez les enfants qui baignaient dans le malheur[88]. Les orphelins étaient donc mieux protégés par le soutien entre enfants que par un entourage en souffrance.

Il se trouve que le génocide rwandais de 1994 confirme tragiquement cette donnée. Les cent mille orphelins survivants qui avaient subi et vu d'incroyables violences ne parvenaient pas à trouver des lieux de vie paisibles. Pas d'orphelinats, pas de familles d'accueil, pas même de voisinage. La culture étant détruite, il ne restait que la solitude ou les camps d'hébergement qui auraient été la pire des solutions. Alors, quand un aîné de treize ou quatorze ans se sentait capable de se débrouiller, il s'installait dans une maison et, avec l'aide d'un voisin ou d'un membre de la famille qui passait de temps en temps, il s'occupait de la fratrie[89].

L'aîné prenait un statut de parent, mais il n'était pas parent de ses parents, comme on le voit dans les familles où

---

88. Carey-Tresfer C. J., « The results of a clinical study of war-damaged children who attended the child guidance clinic, The Hospital for sick children, Great Ormond Street London », *Journal of Mental Science*, 1949, 95, p. 335-529.
89. Dushimer R., *Études des problèmes socio-économiques des enfants orphelins chefs de ménage au Rwanda après le génocide de 1994 : cas du district de Nyamata*, mémoire de licence, Université de Kigali, 2004.

214 AUTOBIOGRAPHIE D'UN ÉPOUVANTAIL

les parents sont vulnérables. Il n'y avait pas d'inversion des générations, il devenait parent de ses cadets, il s'occupait de la nourriture, des problèmes de santé, de l'encadrement scolaire et réglait vigoureusement les problèmes d'indiscipline[90]. Ces « ménages d'orphelins » gouvernés par un grand frère ou une grande sœur ont très tôt accueilli d'autres petits orphelins sans liens de sang, avec qui ils « faisaient un ménage », sur simple entente verbale. Quarante-deux mille ménages s'occupent aujourd'hui de cent un mille enfants survivants du génocide auxquels s'ajoutent les orphelins du sida.

Cette situation tragique correspond tout à fait à la définition de la résilience : une impensable violence détruit en quelques mois 85 % de la population. Les tueurs, soumis aux ordres de la Radio des Mille Collines, massacrent à la machette, aux heures de bureau. Ils commencent à neuf heures du matin puis, épuisés après une bonne journée de travail, ils rentrent chez eux vers dix-sept heures, comme l'avaient fait, cinquante ans auparavant, les scrupuleux employés d'Auschwitz[91].

Pour les cent mille enfants survivants, il n'est plus possible de vivre comme avant puisque dans leur corps, dans leur mémoire et dans les récits d'alentour, la trace du génocide devient un nouvel organisateur du Moi. Pourtant, en inventant un nouveau milieu, les « enfants de ménage » ont repris un autre développement. Le film de soi, la représentation d'images et de mots qu'ils se faisaient de la tragédie ne leur a pas donné le rôle d'un enfant diminué, de

---

90. Mukuzanyana F., *Situation des orphelins chefs de ménage au Rwanda : cas du district de Kanombé*, mémoire de licence, Université de Kigali, 2004.
91. Zizolfi S., Ruata I., « Rorschach à Nüremberg », *Stress et Trauma*, 2008, 8 (2), p. 123-128.

moindre valeur sociale, honteux de ne pas être comme tout le monde. Au contraire même, ces enfants blessés qui reprenaient vie dans des conditions adverses se sentaient fiers d'avoir été capables de surmonter leur trauma. Ils ont fait la cuisine et le ménage sous l'ordre de l'aîné, garçon ou fille, qui surveillait les devoirs et sécurisait son petit monde. « Ces enfants sont souvent devenus de bons élèves et beaucoup aujourd'hui se retrouvent à l'université[92]. » Le même phénomène de surinvestissement scolaire a été noté chez les enfants juifs cachés pendant la Seconde Guerre mondiale[93]. On peut donc se développer dans un entourage dangereux. À quel prix ?

---

92. Kayitesi B., *Facteurs de résilience scolaire chez les orphelins rescapés du génocide qui vivent seuls dans les ménages du Rwanda* (association Tubeho), maîtrise en éducation, Université de Québec, 2008.
93. Feldman M., *Psychologie et psychopathologie des enfants juifs cachés pendant la Seconde Guerre mondiale et restés en France depuis la Libération*, thèse de doctorat de troisième cycle, université Paris-XIII, mai 2008.

IV

LES ENFANTS CACHÉS

Le secret devient un nouvel organisateur du Moi

Dans le réel, le coup a été énorme, chez les chrétiens rwandais comme chez les juifs polonais, mais quand, dans l'après-coup, le blessé a été enveloppé par une structure affective et sensée, une procédure de resocialisation et de dynamisation psychologique a permis de déclencher un processus de résilience. Il faut souligner que la blessure est devenue un nouvel organisateur du Moi. Le fait que leur famille a été massacrée par le bon instituteur et le dévoué pharmacien a inscrit dans la mémoire de ces enfants une représentation d'enfant caché : « Il suffit que je dise qui je suis pour que les gens aimables deviennent dangereux. Il me suffit de taire une partie de mon histoire et de ma personnalité pour paraître normal et vivre en paix. » Une telle stratégie de survie gèle une partie de la personnalité et provoque un clivage dont souffriront les enfants de ces ex-enfants cachés, obligés de rester cachés, même quand la paix est revenue. Mais quand ces enfants se retrouvent entre eux, entre ex-enfants de ménage, ils se sentent entiers, ils s'expriment paisiblement puisque chacun sait que l'autre l'accepte et le comprend. Il n'est plus besoin d'en parler, sauf à l'occasion quand ça se présente, sans éprouver le sentiment de révéler un secret puisque tout le monde est au courant, même quand on se tait. Les futurs enfants de ces ex-enfants blessés auront donc des parents qui n'auront pas eu besoin de se cliver parce qu'ils seront restés entre eux, entiers, sans secret angoissant ni discours traumatisant. Voilà pourquoi le plus sûr moyen de renforcer une croyance, c'est de la persécuter, obligeant ainsi le groupe à se solidariser. Le même phénomène s'est produit en France après la Seconde Guerre mondiale où les enfants juifs recueillis dans les « maisons » se sont plutôt bien développés[1].

À l'inverse, les enfants qui n'ont pas eu la possibilité de retrouver un milieu sécurisant et dynamisant sont devenus de mauvais élèves aux relations difficiles. Les garçons se sont défendus en valorisant la débrouillardise, ils ont maçonné, livré des marchandises à vélo, lavé les voitures et vendu des bricoles sur les marchés. Leurs victoires immédiates, en les sauvant de la misère, ont arrêté leur développement et les ont amputés du plaisir de la vie intellectuelle[2]. Les filles, quant à elles, se plaisaient à rêver que leur existence prendrait sens et se remplirait d'affection dès qu'elles pourraient porter un enfant. Cette représentation d'elles-mêmes, cette illusion de sauvetage en a

---

1. Lewertowski C., *Morts ou Juifs. La maison de Moissac, 1939-1945*, Paris, Flammarion, 2003. Et Hazan K., *Les Orphelins de la Shoah*, Paris, Les Belles Lettres, 2000.
2. Mujawayo E., Belhaddad S., *SurVivants*, La Tour d'Aigues, Éditions de l'Aube, 2004.

fait des proies pour les fausses promesses de mariage. C'est dans de telles populations de grandes filles insécurisées qu'on trouve pratiquement toutes les grossesses précoces[3].

Les pressions du contexte qui aggravent la déchirure sont essentiellement constituées par l'isolement et l'humiliation. Un tel environnement contraint le blessé aux activités autocentrées et au silence honteux. Les influences du milieu qui facilitent la résilience sont donc constituées par une enveloppe affective sécurisante et par des récits qui, en donnant sens au chaos, proposent des conduites pour s'en sortir. Un très grand nombre d'enfants africains ont assisté à des traumas insensés[4] : comment donner sens aux viols répétés de sa mère, puis à sa mise à mort, puis à la découverte de sa tête posée sur la table de la cuisine quand on rentre de l'école? Comment penser de telles atrocités, et comment les dire ensuite quand la paix est revenue? Le déni et le mutisme permettront d'éviter la mémoire douloureuse, mais non de donner sens à l'insensé. Cette défense adaptative qui évite la souffrance fait taire le blessé et l'isole, l'empêchant de reprendre une place dans la société[5]. Il demeure pas tout à fait un homme, une sorte d'épouvantail qui ne peut pas parler.

3. Roehrig C., Genet C., Cyrulnik B., « Une observation éthologique : styles d'attachement et évocation de la grossesse à l'adolescence », *Sexologies*, 2006, 15, p. 134-141.

4. Bellamy C., *The State of the World's Children (Unicef)*, Oxford, Oxford University Press, 1996. Et Action humanitaire de l'Unicef, *Rapport 2006*.

5. Bruner J., *Acts of Meaning*, Cambridge (MA), Harvard University Press, 1990.

Les récits intimes dépendent des récits d'alentour

Seule une narration paisible et cohérente, en tricotant mot après mot une intimité partagée, aurait permis une reprise résiliente. Mais la narration n'est pas possible. Vous êtes rwandaise étudiante en Belgique, vous êtes gentiment invitée chez des amis qui aimeraient vous aider. Ils vous font fête, ils vous honorent avec de bons plats et des mots affectueux, alors vous vous laissez aller et vous dites en souriant : « Quand j'ai vu la tête de ma mère sur la table, mon âme s'est glacée. Quand les tueurs m'ont attrapée et violée, j'ai été indifférente à ce qui m'arrivait. Ils violaient quelqu'un d'autre, mon âme était ailleurs. J'étais déjà morte. » Impossible à dire ! Impossible à entendre ! La fête s'est arrêtée, les amis se sont tus, pas un mot, pas un sourire de compassion, pas une larme. Que dire après ça ? Ce qui avait été possible dans le réel devenait impossible à représenter. Une telle intimité n'est pas partageable. La jolie étudiante rwandaise s'est à nouveau retrouvée seule, soumise à un récit non socialisable parce qu'un événement tellement monstrueux la chassait de la communauté des représentations partageables, celles qui font culture.

Ce qui revient à dire que le sens qu'on attribue à l'histoire de notre vie dépend de l'interprétation qu'en fait notre entourage. Les réfugiés, les orphelins et tous ceux qui ont connu des événements étranges deviennent eux-mêmes étranges. « Pourquoi viennent-ils chez nous ? Ils sont pauvres et crasseux, ils parlent mal notre langue.

Puisqu'ils ont côtoyé l'enfer, ils connaissent des choses que nous ne savons pas. Ils sont initiés, comme les sorciers qui possèdent un pouvoir maléfique. Nous nous délectons de leurs horribles histoires. Vous voyez bien qu'ils ont un pouvoir étrange puisqu'ils peuvent nous faire jouir de l'horreur. »

Les Rwandais qui ont été accueillis en Allemagne[6] ou ceux qui ont repris des études en Belgique ou au Québec ont été entourés par des familles et des amis qui ont manifesté un grand talent relationnel. Ils n'ont forcé aucun récit et tous ont entouré d'affection les blessés. Plus tard, apaisés par leur entourage qui avait lentement pris la fonction d'une base de sécurité, ils ont pu partager la douloureuse intimité de leur histoire... quand l'occasion se présentait. Ce moment de silence constitue un petit déni qui permet au blessé de se renforcer avant d'oser, plus tard, entreprendre un travail de parole[7].

Les groupes de jeunes gens qui, après le génocide, ont été entourés et ont retrouvé les valeurs, les récits, les croyances et les rituels de leurs parents ont fourni un pourcentage d'évolutions résilientes nettement supérieur à celui des groupes de jeunes Rwandais recueillis dans des institutions religieuses, catholiques ou protestantes où ils sont restés isolés[8]. Malgré un bon accueil, ils n'ont pas pu renouer le lien d'appartenance qui les aurait tranquillisés et invités au récit. La généreuse culture qui les accueillait était trop différente de celle de leurs parents. Ne pouvant s'inscrire dans une filiation, ils se taisaient pour ne pas

---

6. Comme le chanteur Corneille.
7. Tichey C. de, *Séminaire Laboratoire Ardix*, Paris, 11 mars 2008.
8. Ehrensaft E., Tousignant M., « Immigration and resilience », *in* L. David, S. Berry, J. W. Berry, *Acculturation Psychology*, op. cit.

gêner ceux qui les secouraient. Le récit intime n'étant pas partageable avec les récits d'alentour, ces jeunes traumatisés ne pouvaient pas socialiser leur expérience invraisemblable et cruelle. Alors, ils coupaient leur âme en deux, une moitié en pleine lumière et une autre à l'ombre qui souffrait en secret.

Les compagnons, tuteurs de résilience

Un autre tuteur de résilience jusqu'à présent négligé s'avère efficace. Quand le soutien social de l'affectivité et des récits ne peut pas être fourni par le milieu d'accueil, il reste l'entourage des compagnons, les pairs dont on a sous-estimé la puissante imprégnation. Lorsque les parents sont blessés, ce n'est pas la blessure qu'ils transmettent, c'est la manière dont ils affrontent leur meurtrissure. S'ils sont enragés, abattus ou honteux, ils disposent autour de l'enfant une enveloppe sensorielle de colère, de désespoir ou de honte qui s'imprègne dans la mémoire du petit. À l'opposé les compagnons, par leurs réactions, leurs bourrades et leurs jeux, peuvent planter dans l'âme du blessé un sentiment dynamisant. Il semble même qu'ils possèdent un pouvoir de résilience supérieur à celui des adultes ! Quand l'âme des parents est démolie ou coupée en deux, on comprend que les enfants baignent dans une sensorialité anéantie ou ambivalente. Même lorsque les adultes sont sereins, ils composent des tuteurs de résilience moins stimulants que ceux des compagnons [9]. Peut-

---

9. Beiser M., « Strangers at the gates "The boat people's" first ten years in Canada », Toronto, University of Toronto Press, 1999.

être est-ce parce que la distance affective entre compagnons rend les conflits moins douloureux? Pour un enfant, la souffrance d'un autre gamin l'entame moins que le tourment de sa mère. La vitalité des petits remet du dynamisme dans les relations, comme on le voit chez les enfants qui se bagarrent et puis s'embrassent, alors qu'une mère malheureuse ou un père brutal imprègne chaque jour dans la mémoire du petit une insécurité de base. Les circonstances adverses quotidiennes constituent des traumas insidieux, des déchirures invisibles difficiles à observer donc à combattre. Les groupes d'enfants et les bandes d'adolescents possèdent un pouvoir de socialisation qui protège le jeune de la transmission du malaise parental.

Un problème épineux peut venir de l'entourage qui attire l'enfant dans une bande ou dans un clan. Le sentiment d'appartenance est tellement protecteur que, si l'on demande à un jeune d'appartenir à une structure sociale perverse, il le fera avec bonheur. Un enfant ne peut pas se développer ailleurs que dans le milieu où la vie l'a placé. Cette contrainte peut le soumettre à un artisan de la terreur, un chef de clan, un meneur politique ou un intellectuel qui exploitera ce besoin[10]. Un tel cadre de développement ne peut pas être considéré comme un facteur de résilience puisque le ghetto ou le clan arrêtent l'empathie en centrant la personne uniquement sur ses proches[11].

Ce qui donne sa force à la résilience, c'est la recherche du sens, bien plus que le sens lui-même. L'Allemagne

---

10. Sen A., *Identité et violence. L'illusion du destin*, Paris, Odile Jacob, 2007.
11. Rutter M., « Résilience : some conceptual considerations », *Journal of Adolescent Health*, 1993, 14, p. 626-631.

nazie des années 1930 donnait sens à son malheur en l'attribuant à l'humiliation du traité de Versailles de 1919, ce qui est indéniable. Les petits garçons des jeunesses nazies apprenaient les métiers de la guerre avec un grand bonheur, les filles étaient fières de consacrer leur corps à la reconstruction de leur pays déchiré et les adultes régressaient en redécouvrant avec plaisir les rituels de clan qui unissent les adolescents : défiler, saluer, chanter et porter des insignes, ça facilite les repères d'appartenance. Cette délicieuse régression les a soumis à une poignée de décideurs qui, en leur fournissant un sens prêt à penser, les a menés à une déflagration mondiale.

La recherche du sens, à l'opposé, est un travail quotidien de lectures, de rencontres, de doutes, d'engagements, de plaisirs et de déceptions, qui construit laborieusement une résilience durable. Lorsque André est né en 1937, ses parents militants antifascistes étaient en grande difficulté[12]. L'enfant garde peu de souvenirs de son père mort dès le début de la guerre. Sa mère, très pauvre, a dû accepter n'importe quel travail pour contourner les lois antijuives. André, caché dans des institutions catholiques ou chez des fermiers, a vécu ses premières années dans une grande instabilité affective et un sentiment permanent de danger. Un tel contexte au cours des petites années constitue une difficulté développementale qui inscrit dans la mémoire une certaine représentation de soi. Après la guerre, sa mère a trouvé un travail stable au château de Ferrières, une institution juive de l'OSE (Œuvre de secours aux enfants). Le petit André a fait de bonnes

---

12. « L'enfance de... "André Glucksmann" », *Osmose*, décembre 2007-février 2008, n° 16, p. 24.

études à la pension de La Forge au milieu d'enfants qui avaient connu l'horreur des camps. À cette époque, les psychologues ne se souciaient que de l'évaluation des dégâts, plus faciles à observer. Ils n'étaient pas formés à repérer les ressources internes et externes d'un petit blessé qui l'auraient rendu capable de tenter l'aventure de la résilience. Ils ont donc conclu que « la guerre était passée sur André sans laisser de traces ». Ils n'ont pas su percevoir le refuge dans la rêverie, le projet de réparation narcissique de l'enfant déchiré qui rêvait de devenir président de la République, et surtout sa rage d'apprendre afin de découvrir quel sens pouvait avoir cet immense et absurde crime : « J'ai passé ma vie à parler de la guerre et du nazisme [13] ! »

Il n'y a pas d'explication par une seule cause. On ne peut pas dire : « Il est devenu philosophe et écrivain parce qu'il a donné sens aux déchirures de son enfance. » Mais on peut dire : « Ses réactions intimes face au fracas de son entourage lui ont permis de se construire une philosophie thématisée par la rage de comprendre le non-sens de la guerre. » D'autres compagnons de la pension de La Forge n'ont pas su profiter des ressources externes de l'institution, peut-être parce que leur déchirure était irréparable, peut-être parce que avant le fracas ils avaient acquis des facteurs de vulnérabilité, peut-être parce que après l'horreur ils ont continué à vivre dans une famille agonisante incapable d'élaborer la tragédie. Quand les parents ne parviennent pas à transmettre un roman familial paisible, le récit mal formé fragilise le narcissisme de leurs enfants [14].

---

13. Glucksmann A., *Discours de la guerre. Théorie et stratégie*, Paris, Flammarion, 1967.
14. Gery M., *Clinique de la médiation interculturelle*, cours du diplôme d'université, Toulon, 12 avril 2008.

La transmission est inévitable, elle se transporte au corps à corps, elle se propage par les récits, par les images évoquées et la manière d'en parler. Un récit troué de silences, quelques allusions énigmatiques ou un flot continu de mots déversant l'horreur altèrent le monde intime des enfants attachés à des adultes en souffrance, incapables de maîtriser la représentation d'une réalité impensable !

Les récits non verbaux des enfants cachés

Pour qu'un parent ne devienne pas « effrayé-effrayant », il faut qu'il maîtrise la représentation de la blessure qu'il a subie. Et ce travail n'est possible qu'avec l'autorisation du contexte. C'est lui qui donne leur pouvoir aux gestes et aux mots. Dans une école catholique près de Langon, dans le Sud-Ouest en 1943, le petit Julien Quentin a tout de suite été attiré par Jean Bonnot, un grand garçon qui venait d'arriver[15]. Sa réserve curieuse, tristement souriante, contrastait avec la bruyante gaieté des autres enfants. Le nouveau, excellent élève et bon pianiste, a facilement gagné sa place parmi les petits pensionnaires. Percevant quelques ombres sur son visage et quelques surprenants silences, ses camarades l'avaient surnommé « le beau ténébreux ». Julien, fasciné par la maturité de son étrange copain, le faisait inviter au restaurant par sa mère chaque fois qu'elle venait lui rendre visite. Il s'étonnait des bafouillages et des explications confuses que Jean donnait quand elle lui demandait de parler de sa famille. Plusieurs minuscules incertitudes comportementales rendaient énig-

---

15. Louis Malle, *Au revoir les enfants*, film, 1987.

matique cet attachant garçon, jusqu'au jour où le curé, directeur de la pension, est entré pendant la classe accompagné par un soldat allemand et un policier français : « Nous savons que plusieurs enfants juifs sont cachés dans cette école », a dit l'inspecteur. Soudain l'énigme s'est éclairée pour Julien qui, furtivement, n'a pas pu s'empêcher de regarder son meilleur copain, le désignant ainsi à la Gestapo. Jean s'est levé, a rangé son cartable et suivi le soldat. Pas un mot n'a été prononcé.

Avant l'arrestation, c'était le silence, le trou verbal qui orientait l'attention vers le lieu de l'énigme. Et c'est un simple coup d'œil qui, involontairement, a désigné le petit juif et l'a condamné à mort[16].

Dans un tel contexte, un enfant menacé ne peut survivre que s'il est capable de faire le secret sur sa condition. Le moindre indice est une trahison mortelle. Cette réaction adaptative qui sauve l'enfant à un moment donné peut devenir toxique quand le contexte change. Les enfants qui avaient survécu en retenant leurs mots ont continué à se taire quand la paix est revenue. Cette retenue qui leur avait permis de survivre les empêchait maintenant de parler dans leur nouveau milieu : « C'est fini tout ça... où vas-tu chercher ces histoires... arrête de te plaindre, nous aussi on a souffert, on n'avait pas de beurre pendant la guerre. » Après avoir été obligés de se cacher pour survivre, ces enfants étaient obligés de cacher qu'ils avaient été cachés ! Le secret les avait sauvés pendant la guerre, mais en temps de paix la contrainte à garder leur secret pour ne pas être agressé une fois de plus entravait leur épanouissement. La signification du silence avait

---

16. Louis Malle, lettre, communication personnelle, New York, 1988.

changé : « Pendant la guerre, je me taisais pour ne pas mourir, depuis que la paix est revenue, je me tais pour ne pas être considéré comme un monstre. Je n'avais qu'un mot à dire pour disparaître pendant la guerre. Je n'ai que ce mot à dire pour être rejeté en temps de paix. La parole qui révèle le secret devient une arme dont autrui peut se servir contre moi. Il me suffit d'articuler les mots "Arménien" ou "juif" ou "Tutsi" ou "fils d'esclave" pour que changent vos comportements et votre manière de me parler. Les récits d'alentour organisent les relations qui construisent au fond de moi le sentiment que j'éprouve en pensant à ce qui m'est arrivé[17]. Nos récits entrecroisés peuvent me condamner au silence ou aux vantardises, planter en moi un sentiment de honte ou de fierté, me désespérer ou me glorifier, selon la manière dont nous en parlerons. »

Les enfants de boches

Dans la population des enfants cachés à qui l'on interdisait de raconter leur histoire, il faut intégrer les enfants à qui l'on a caché leur propre histoire. Les « enfants de boches », nés à la fin de la guerre (1943-1945), d'une femme française et d'un père allemand rapidement disparu sur le front de l'Est, ont pratiquement tous eu une existence difficile. Ces enfants sains, qui bien évidemment n'ont commis aucun crime, ont pourtant souffert d'un contexte rhétorique où ils entendaient l'expression « sale

---

17. Cyrulnik B., « Children in war and their resiliences », *in* H. Parens, H. P. Blum, S. Akhtar, *The Unbroken Soul. Tragedy, Trauma, and Resilience*, New York, Jason Aronson, 2008.

boche » qui désignait leur père. Ils entendaient aussi parler de « collaboration horizontale », suggérant la position sexuelle de leur traîtresse de mère. Ce récit d'alentour introduisait dans leur âme d'enfant le sentiment qu'ils étaient le fruit d'une saleté paternelle enfoncée dans une sorte de prostituée maternelle.

Ces enfants ont eu du mal à se développer, comme la petite Émilie[18]. Leur nombre est difficile à évaluer puisque la transgression pendant la guerre et la honte en temps de paix leur ont coupé la parole. Le chiffre oscille entre quatre-vingt mille et deux cent mille en France. Quelques-uns sont probablement nés de viols ou de prostituées, un petit nombre a eu pour mère une femme nazie qui a collaboré à sa façon, mais la majorité d'entre eux sont nés d'un acte d'amour entre une femme et un homme qui ne se sont pas soumis aux stéréotypes haineux de l'époque qui ne parlaient que de « boches et de putains ». Un grand nombre de ces femmes françaises, norvégiennes ou hollandaises étaient mariées quand elles ont fait l'amour avec un soldat de l'armée que combattait leur mari, ce qui explique le fort sentiment de traîtrise éprouvé par le voisinage[19]. Les lois de Vichy ont été un échec, puisque, malgré leur extrême sévérité, jamais les avortements n'ont été si nombreux. Ces femmes ont gardé l'enfant dont elles auraient pu se débarrasser. Les pères sont retournés dans leur famille allemande ou sont morts sur le front de l'Est tandis que leur enfant arrivait au monde, enveloppé d'un silence effrayant. Certains ont été élevés par leurs grands-parents muets, beaucoup ont été

---

18. Exemple donné p. 12-14.
19. Virgili F., « Enfants de boches : The war children in France », in K. Ericsson, E. Simonsen (éds.), *Children of Word War II*, New York, Berg, 2005, p. 140.

confiés à des institutions silencieuses, et quand les mères accablées gardaient l'enfant auprès d'elles, c'est par un non-dit qu'elles répondaient à la question : « Qui est mon père ? »

Ce silence fascinait les enfants. Il les attirait comme un gouffre d'où sortaient d'étranges indices : « Ma mère, qui d'habitude parle aisément, devient sombre et se tait quand je demande où je suis né. À l'école, mes copains ricanent quand ils sont loin, et je comprends que c'est moi qui suis la cible de leurs moqueries. Ils savent sur moi des choses que je ne sais pas. Certains objets, certains papiers, une enveloppe avec un timbre allemand, trouvée au fond d'une boîte à sucre[20], certains mots qui évoquent la guerre figent tout d'un coup les mimiques de ceux qui s'occupent de moi. Je suis élevé par des gens qui portent des masques, ils font semblant d'être mes parents. Parfois ils disent qu'ils m'aiment, mais je ne les crois pas. Leurs sourires et leurs gestes ne sont pas authentiques. » Ces indices énigmatiques font naître dans le monde intime de l'enfant un sentiment de distance affective. Ce trouble qu'il attribue à ce qu'il perçoit (silences, bafouillages, faux sourires) organise le sentiment de soi et la manière dont il y répond : « Je sens bien que je suis en trop. Ils me tolèrent, c'est tout. »

Les enfants ne sont pas maîtres du sentiment qui naît dans leur âme ni du sens que prennent les choses. Cinquante ans plus tard quand les structures familiales ont changé et que les discours culturels ont allégé les silences, l'enfant de boche décide de partir à la recherche de ses

---

20. Kruger J., *Née d'amours interdites*, Paris, Perrin, 2006. Et Picaper J.-P., Norz L., *Les Enfants maudits*, Paris, Éditions des Syrtes, 2004.

origines. Alors, la métamorphose se fait en quelques jours ! La pesanteur et l'amertume se transforment en plaisir ! « Plaisir du détective qui dirige son enquête. Plaisir de la lecture qui permet de découvrir que tous les Allemands n'étaient pas des nazis, plaisir de ne plus se sentir seul et, en rencontrant d'autres personnes nées de boches, de se regarder entre soi comme dans un nouveau miroir et de découvrir qu'on n'a plus de raisons de se représenter soi-même comme un monstre honteux. Plaisir de partir en voyage avec l'association qu'on vient de créer, plaisir de l'amitié avec des inconnus étonnamment intimes, plaisir de retrouver des demi-frères et demi-sœurs nés légalement en Allemagne après la guerre et qui, souvent, accueillent avec générosité leur fratrie française. Aventure délicieuse, paisible, surprenante, émouvante, décevante parfois, mais qui toujours permet la reconquête de soi. Quand certains disent : « On m'a caché mes origines, on m'a privé de mon nom qui est un nom allemand. Je revendique aujourd'hui le droit de le porter », je ne peux m'empêcher d'associer cette phrase aux petits juifs cachés à qui l'on disait : « Si tu dis ton nom, tu mourras, et ceux qui t'aiment mourront à cause de toi. » On ne peut donc porter son nom avec amour et fierté que lorsque les discours d'alentour nous y autorisent ?

Certains enfants nés d'Allemands ont pu suivre leur père qui, dès l'effondrement de l'Allemagne en 1945, se sont réfugiés en Syrie ou en Argentine. Dans ce contexte socioculturel où les responsables nazis ont été bien accueillis, les enfants n'ont jamais pensé que leurs parents portaient un masque puisque ce qu'avait fait leur père, ce qu'il était, ce qu'il disait correspondait parfaitement à ce

que son entourage racontait sur lui. Ces récits congruents
ne provoquaient pas de sentiment d'étrangeté, l'enfan
sécurisé dans un monde de discours clairs pouvait donc
être fier du nazisme de son père.

Quand les pères n'étaient pas des dignitaires nazis et
que les femmes étaient de jolies pouliches blondes, un
placement dans les *Lebensborn* a été envisagé[21]. Dans ces
institutions qui recueillaient les enfants nés de soldats
allemands disparus et de mères abandonnantes, les critères de race étaient tellement explicatifs qu'ils faisaient
croire qu'il suffisait de donner à ces petits un environnement de bonne qualité matérielle pour qu'ils deviennent
des surhommes. Des « haras » ont été installés au château
de Chantilly et à Lamorlaye. Le développement des petits
a été catastrophique puisque les éducateurs avaient
négligé le soutien affectif et l'exercice intellectuel. On a
noté dans cette population un nombre très élevé de
dépressions, de suicides et de troubles psychiques. Les
enfants de *Lebensborn* qui ont été adoptés se sont mieux
épanouis, mais ont gardé dans leur mémoire la trace et le
souvenir d'un désert affectif dépourvu de récits.

La plupart des enfants de l'ennemi ont été élevés par
une grand-mère affectueuse, une mère malheureuse ou
une tante qu'ils appelaient « Maman ». Dans la représentation qu'ils se faisaient d'eux-mêmes, il y avait, à la place
du père, un gouffre angoissant. Ce n'est que plus tard,
quand le contexte culturel leur a donné la possibilité de
s'exprimer, que ces enfants nés de père allemand ont

---

21. Mme Hutzinger, la femme du général français, souhaitait faire élever ces
enfants dans ces institutions, rapport de la préfecture de police, 28 septembre 1944,
cité par Virgili F., « Enfants de boches : The war children in France », *in* K. Ericson,
E. Simonsen (éds.), *Children of World War II, op. cit.*, p. 143.

pu déclencher un processus de résilience. Alors, ils ont découvert le plaisir de devenir entiers et de s'exprimer sans se sentir menacés.

De la honte à la fierté

Ces enfants sains et coupables de rien ont beaucoup souffert d'une représentation sociale, d'un récit stigmatisant. Cinquante ans plus tard, l'apaisement culturel les a autorisés à prendre la parole, déclenchant rapidement un processus de résilience tardive. Mais il était bien tard, on aurait pu leur éviter quelques décennies de souffrances en provoquant des débats qui auraient modifié ces représentations sociales.

Entre le moment de la disparition du père et celui de la résilience tardive, les enveloppes affectives ont pris des formes différentes selon les aventures familiales. Certains enfants ont été abandonnés, placés dans des institutions anomiques, d'autres sont restés auprès d'une mère qui les haïssait parce que le simple fait d'être au monde représentait la faute. D'autres ont été élevés dans des familles d'accueil adorables qui blessaient l'enfant en insultant ses origines : « On t'aime beaucoup, toi, suggérait l'entourage, et pourtant ton père est un boche. »

Une situation comparable a été réalisée avec les enfants de harkis. Leurs pères, pendant la guerre d'Algérie, ont choisi la France par conviction ou par contrainte. Certains se sentaient français depuis plusieurs générations, beaucoup étaient fiers d'avoir combattu pour libérer la France de l'occupation allemande. et d'autres s'étaient engagés dans une harka de supplétifs de l'armée « pour protéger leur famille contre les exactions de l'armée française ou du FLN[22] ». « Parfois, quelqu'un se faisait égorger par les maquisards sans que nous sachions pourquoi. Un jour, Amar Novar pour fuir les menaces de mort du FLN se réfugie chez un colon de Novi. Un indépendantiste commet un attentat. Les représailles ne tardèrent pas : Amar et huit collègues furent fusillés par des Français[23]. » Après l'indépendance en 1962, ces harkis furent massacrés par les Algériens et séquestrés par les Français. Les pères se sont assis, le regard perdu, et n'ont plus dit un mot. Enfermés dans des camps entourés de barbelés, avec encadrement militaire et couvre-feu, les enfants ont eu du mal à se socialiser[24]. « Nous ne parlions jamais de notre passé... ni de la mort de nos parents... ni de notre pays d'origine... je n'ai jamais raconté mon histoire [à mes enfants], ni l'angoisse des massacres, ni le poids de l'exil[25]. »

Décidément le trauma, quelles que soient les circonstances, installe un gouffre à l'origine de soi et déchire les liens avec les proches et la société.

Les enfants qui se cachent pour ne pas mourir, puis cachent qu'ils ont été cachés, à qui l'on cache leurs origines ou dont les origines se cachent, nous enseignent que c'est par un récit que se compose notre identité. Mais ils nous expliquent aussi que ce récit intime doit s'harmoni·

---

22. FLN : Front de libération nationale. Partisans qui se sont armés pour provoquer l'indépendance de l'Algérie (1962).
23. Besnaci-Lancou F., *Fille de harki*, préface de Jean Daniel et Jean Lacouture, Paris, Les Éditions Ouvrières, 2003, p. 43.
24. À Mouans-Sartoux, le maire André Aschieri s'est battu pour obtenir une rente et surtout pour alphabétiser les enfants qui ont ainsi pu s'intégrer dans la société française.
25. Besnaci-Lancou F., *Fille de harki, op. cit.*, p. 109, 110, 115.

ser avec les récits d'alentour (familiaux, sociaux et culturels), afin que notre personne puisse partager l'existence de ceux qui nous entourent. Un gouffre à l'origine de soi trouble l'identité. Un récit non partageable déchire les relations.

Pour provoquer un processus de résilience chez une personne trouée dans son identité et déchirée dans ses liens, il faut d'abord agir sur les récits d'alentour afin de préparer l'entourage à entendre ces récits intimes, si difficiles à dire. On ne peut pas parler n'importe quand, n'importe où ni n'importe comment. Nos récits de soi doivent s'harmoniser avec les récits du contexte. Ce n'est qu'à cette condition, à ce moment sensible de nos histoires conjuguées, qu'on s'étonnera de pouvoir transformer tant de douleurs en tant de plaisir.

Adoption et cultures

Les enfants adoptés n'ont pas été cachés et aujourd'hui on ne leur cache plus leurs origines. Mais les circonstances qui ont mené à l'adoption jettent souvent une ombre sur leurs premières années. Même quand elles ne sont ni trouées ni déchirées, elles constituent une énigme, angoissante ou stimulante selon la conjugaison des récits intimes avec les récits d'alentour

Il n'y a pas beaucoup d'adoptions dans le monde actuel. La France, médaille d'argent de l'adoption derrière les États-Unis, médaille d'or, n'a accepté que trois mille cent soixante-deux enfants en 2007. Au XIXe siècle quand il y avait vingt-six millions d'habitants, cent cinquante mille enfants étaient pupilles de l'État. Aujourd'hui, avec soixante-quatre millions, il n'y en a que trois mille deux cents! La maîtrise de la fécondité, l'autonomie des femmes, les protections sociales expliquent ce petit chiffre. Au début du XXe siècle, le devoir de sexualité, l'obligation de maternité, la dépendance des femmes, les terribles conditions de travail des hommes expliquent pourquoi l'abandon d'enfant était fréquent.

Le progrès social qui explique le petit nombre d'adoptions contraste avec l'énorme littérature et la passion que provoque le sujet. Le mot « adoption » désigne des situations juridiques qui créent de nouvelles familles et légalisent de nouvelles affiliations. Ce mot désigne donc des structures familiales et légales étonnamment différentes selon les époques et les cultures.

Chez les Romains, les hommes privilégiaient ce mode de filiation en adoptant un fils qui avait pour mission de prolonger la puissance paternelle. Cette descendance non biologique avait plutôt une fonction politique[26].

Le Moyen Âge occidental chrétien a dévalorisé l'adoption. L'Église, à cette époque, fabriquait du social avec le mariage. Seuls les enfants qui naissaient de cette union étaient légitimes. Ceux qui naissaient hors des couples reconnus ou dont les parents étaient disparus avaient moins de valeur puisqu'ils participaient mal à cette édification sociale.

La Révolution française a réhabilité l'adoption en 1792 sans vraiment lui donner un cadre juridique. Les femmes mouraient si jeunes en ce temps-là que l'adoption intrafamiliale par un apparenté ressemblait à une

---

26. Mécary C., *L'Adoption*, Paris, PUF, coll. « Que sais-je ? », 2006, p. 13-28.

« famille d'accueil ». Au XIXe siècle, l'adoption se faisait devant notaire et non pas devant un juge puisqu'il s'agissait de transmettre un bien plutôt que de fonder une famille.

La Première Guerre mondiale a tué tellement d'hommes, les conditions d'existence ont éliminé tant de femmes, qu'un enfant sur deux n'était pas élevé par ses parents biologiques. Aujourd'hui, la longue espérance de vie des femmes, l'amélioration des conditions de travail, l'efficacité des protections sociales ne donnent plus au couple la fonction de survie qu'il avait encore dans les années 1960 où un sexe ne pouvait pas vivre sans l'autre. Le sexe n'a plus cette fonction sacrée qui lui imposait de respecter Dieu en mettant des âmes au monde, il n'a plus la fonction de stabilisation sociale qui, dans une société où les caisses de retraite n'existaient pas, attribuait au fils aîné le rôle de « bâton de vieillesse ». La maîtrise de la fécondité, la diminution des accidents de travail, l'absence de guerre en Europe réduisent le nombre d'enfants adoptables. Dans ce nouveau contexte technique et social, l'adoption, comme le couple, prend une signification essentiellement affective et psychologique. L'adoption n'est plus une résignation comme à l'époque où l'on accueillait à la maison l'enfant de la sœur décédée, elle n'est plus une honte comme lorsqu'on allait dans un orphelinat choisir en cachette un enfant abandonné. L'adoption aujourd'hui devient une déclaration d'amour, un engagement généreux, un don de soi pour se rendre heureux en rendant un enfant heureux. L'orphelin n'est plus un enfant-moins, il devient un enfant choisi, un élu presque. Dans notre contexte technique et culturel, l'attachement qui va se tisser dépend de cette nouvelle signification psychoculturelle.

Le désir d'engagement affectueux est circuité par les pressions sociales. Les Américains adoptent chaque année vingt mille enfants, le plus souvent venus d'Asie. Les Français vont chercher les enfants là où on en propose, en Éthiopie, en Haïti, en Russie, en Colombie ou au Vietnam selon les lois de ces pays.

L'adoption n'est plus ce qu'on croyait

Le profil des adoptants n'est pas le fait du hasard : deux couples sur trois ont été blessés de ne pas avoir pu mettre au monde un enfant naturel. Cette difficulté explique l'âge plus élevé des parents quand ils décident d'adopter. La femme a quarante ans et l'homme quarante-quatre au moment où ils vont chercher un enfant. Ils ont dix ans de plus que lorsque le bébé arrive au monde naturellement dans notre culture occidentale. Mais l'adoption n'est déjà plus ce qu'on croyait : les célibataires adoptent de moins en moins, et beaucoup de couples qui adoptent ont déjà des enfants. On adopte par altruisme, pour s'engager dans une vie de famille[27]. Quand on est cadre, on adopte plus que lorsqu'on est ouvrier. L'âge, le niveau social et l'histoire des adoptants disposent autour de l'enfant une enveloppe plus paisible, plus confortable et plus endolorie que celle des enfants naturels.

---

27. Halifax J., Villeneuve-Gokal C., « L'adoption en France : qui sont les adoptés, qui sont les adoptants », *Population et sociétés*, n° 417, novembre 2005.

Quant aux petits, un grand nombre d'entre eux ont déjà été blessés par la vie. Pourtant, ce départ difficile a peu de valeur prédictive. Les enfants maltraités et ceux qui ont été négligés s'engagent dans la relation adoptive avec un attachement évitant bien plus fréquent que dans la population générale[28]. Ils sont plus réservés, ils tiennent les autres à distance, puisque c'est ainsi que les circonstances éducatives de leurs premières années leur ont appris à aimer.

Lorsqu'un abandon les a placés en isolement sensoriel précoce, ils manifestent souvent un retard de développement de taille et de poids. Quand l'isolement a été précoce, intense et durable, la reprise de développement est difficile mais, contrairement aux idées reçues, les troubles biologiques sont ceux dont la résilience est le plus facilement relancée. Dès qu'ils se sentent en milieu sécurisant, l'architecture de l'électroencéphalogramme se régularise. Quand ils étaient isolés, non sécurisés et malheureux, ces enfants n'éprouvaient pas le plaisir de s'endormir, ils ne se sentaient pas assez en confiance pour se laisser aller au sommeil. Ils se débattaient jusqu'au moment où, épuisés, ils tombaient en sommeil profond. L'architecture électrique de leur sommeil qui résultait de cette insécurité diminuait les ondes lentes du début de l'endormissement puisque l'enfant était en alerte anxieuse. Or ces ondes lentes stimulent la base du cerveau où les noyaux du diencéphale entraînent la sécrétion des hormones de croissance et des hormones sexuelles. Après deux jours d'enveloppe affective sécurisante, l'architecture du som-

---

28. Briggs A., « Adoption and permanence today. A discussion », *in* C. Archer, A. Burnill (éds.), *Trauma, Attachment and Family Permanence*, New York, Jessica Kinsley Publications, 2003, p. 32.

meil se rétablit et, quelques mois plus tard, la taille et le poids rejoignent la moyenne des enfants bien élevés[29].

L'intellect aussi se réveille rapidement quand l'enfant, à nouveau sécurisé, ose explorer le monde des choses et celui des gens. Les enfants inhibés par un isolement affectif rattrapent en quelques mois leur retard intellectuel[30]. La réversibilité des troubles biologiques et intellectuels est plus aisée que ce que l'on croyait, à condition que la privation ne survienne pas lors d'une période sensible du développement lors des premiers mois et ne dure pas au point de sculpter durablement les circuits cérébraux.

La situation d'adoption crée donc une sorte d'expérimentation spontanée, un laboratoire familial construit par l'aventure humaine. Le clinicien sait évaluer les performances du langage, les tests d'intelligence, les résultats scolaires et les styles d'attachement. Il est donc possible d'analyser et d'évaluer comment un enfant altéré par un accident de l'existence reprend un néodéveloppement résilient[31]. Le contexte intellectuel joue un rôle majeur dans les performances scolaires de l'enfant. Ce n'est pas une idée nouvelle, mais il n'est pas neutre de préciser qu'un groupe d'enfants adoptés par des cadres supérieurs aura à peine plus d'échecs scolaires (16 %) que la population générale (14 %). Les enfants élevés par des parents de niveau socioculturel moyen ou non scolarisés auront beaucoup plus de difficultés[32]. C'est donc en améliorant la

29. Cyrulnik B., *Les Nourritures affectives*, Paris, Odile Jacob, 1993, p. 59-68.
30. Tizard B., Hodges J., « The effects of institutionel rearing on the development of eight years old children », *Journal of Child Psychology and Psychiatry*, 1978, vol. 19, p. 99-119.
31. Cyrulnik B., Pourtois J. F., Tichey C. de, *Critères de résilience*, Paris, Séminaire Laboratoire Ardix, 2008.
32. Schiff M., Duyme M., Dumaret A., Tomkiewicz S., *Enfants adoptés et résultats scolaires*, Paris, Ined-Inserm, coll. « Travail et Documents », n° 93, 1981.

manière dont les parents investissent l'école qu'on pourra améliorer les résultats scolaires des enfants. C'est pourtant à l'enfant qu'on attribue les résultats bons ou mauvais, alors que son aptitude scolaire a été construite par son milieu. La plupart des institutions d'orphelins scolarisent mieux leurs pensionnaires que les familles en difficulté. Mais il arrivait que certains orphelinats mènent à des échecs scolaires et existentiels graves, « quand la moitié des pensionnaires sont orientés vers des instituts pour déficients mentaux[33] ». Les Villages d'enfants SOS permettent à la plupart de leurs résidents de reprendre un développement résilient. Même quand les premières années ont été rendues difficiles par la maltraitance familiale ou sociale, les enfants rattrapent d'abord leur retard de taille et de poids, puis s'éveillent intellectuellement et deviennent autonomes. Les échecs sont à peine supérieurs à la population générale, malgré les risques accumulés. Dans cette population particulière, les mariages sont précoces, avec une légère tendance à la dépendance affective et « une quasi-absence de reproduction des comportements inadaptés », aucun enfant maltraité n'est devenu un parent maltraitant[34].

L'imaginaire pour recoudre le lien

Il est rare qu'un déterminant soit assez puissant pour expliquer à lui seul un résultat scolaire. C'est une constel-

---

33. Dumaret A., Duyme M., « Devenir scolaire et professionnel de sujets placés en villages d'enfants », *Revue internationale de psychologie appliquée*, T. XXXI, 1982, p. 464.
34. Dumaret A. C., *Les Cahiers de SOS Villages d'enfants*, avril 2008, n° 3.

lation de forces qui augmente ou diminue la probabilité d'échec ou de réussite d'un groupe. Mais à l'intérieur de ce groupe, chaque individu a son mot à dire. Un orphelin aura à cœur de réussir à l'école parce qu'il s'imagine que sa mère a dit avant de mourir : « Je serais tellement heureuse s'il devenait avocat. » L'enfant répond à cette phrase vraie ou imaginée en surinvestissant l'école. Il consacre beaucoup de temps à étudier, à écouter les enseignants, à choisir des petits copains qui ont le même style scolaire que lui, ce qui donne forcément des résultats meilleurs que s'il haïssait l'école[35].

Les circonstances participent au sens que l'enfant attribue à l'école. Une population d'enfants maltraités donne beaucoup de mauvais élèves. Mais il arrive qu'un enfant de cette même population surinvestisse l'école parce que, pour lui, c'est un endroit où l'on parle gentiment, où l'on rêve d'un avenir meilleur, où l'on se sauve de la misère, où l'on panse son désespoir : « Le jour de la remise des prix, Léa avait enfin sa revanche[36]. »

Ce genre de réflexion nous enseigne que les forces qui gouvernent le devenir d'un groupe ne sont pas les mêmes que celles qui gouvernent chaque individu de ce groupe. Le taux de délinquance des enfants adoptés n'est pas le même selon les circonstances de l'adoption. Dans l'ensemble, les enfants adoptés sont plutôt moins délinquants que ceux de la population générale, ce qui déjà est curieux. Les enfants des adoptions intrafamiliales ne transgressent presque jamais, alors que ceux des adop-

---

35. Englander H., « Comment les enseignants peuvent-ils devenir des tuteurs de résilience », in B. Cyrulnik, J.-P. Pourtois (dir.), *École et résilience*, Paris, Odile Jacob, 2007, p. 227-247.
36. Juliard F., *L'Enfer à domicile*, Paris, Le Cherche Midi, 2002, p. 39.

tions internationales respectent moins les lois. Cette donnée populationnelle ne peut pas s'expliquer par une seule
cause. Il y a certainement une convergence de forces qui
apprennent à l'enfant à respecter la loi ou à considérer
qu'elle est aisément transgressable.

On peut faire l'hypothèse qu'un enfant adopté par sa
tante et son oncle a subi une déchirure affiliative moins
grande, puisqu'il connaît sa filiation et que le changement
de foyer a été moins radical. On peut aussi remarquer que
l'évolution sociale de ces dernières décennies a beaucoup
modifié les conditions de l'adoption précoce. L'amélioration du contrôle des naissances explique qu'en Europe
le nombre d'enfants à adopter soit en diminution. Les
parents vont donc à l'étranger chercher des enfants plus
âgés dont l'adoption est plus tardive. Mais ce n'est pas
l'âge qui explique les difficultés de cette population. Ce
sont plutôt les placements répétés au cours des premiers
mois, l'isolement sensoriel, « les souffrances corporelles
et psychiques qui n'ont aucun sens [37] », l'incohérence des
donneurs de soins, trop rares dans certains pays, trop
nombreux dans d'autres, qui empêchent les routines affectives stabilisantes et expliquent l'acquisition d'un style
relationnel inhibé et impulsif qui altère la socialisation [38].

Dans une certaine mesure, ce lien mal cousu est rattrapable. Après le huitième mois, il y aura une période de
balbutiements relationnels où les partenaires de l'affection auront du mal à s'entendre, mais, quelques années

---

37. Peille F., « Le désir et la recherche des origines dans l'adoption tardive », *in*
O. Ozoux-Teffaine (dir.), *Enjeux de l'adoption tardive*, Ramonville-Saint-Agne, Érès,
2004.
38. Howed D., « Adoption and attachment », *Adoption and Fostering*, 1995, 19,
p. 15-17.

plus tard, on ne pourra plus faire de différence entre les adoptés tardifs et les adoptés précoces [39]. D'autres facteurs relativisent cette vision optimiste. La durée de l'isolement, qui, lors des petites années provoque des troubles graves, atrophie le cerveau et augmente les activités autocentrées, s'efface quand on renoue un lien, mais peut aussi préparer d'autres facteurs de vulnérabilité. C'est un facteur rattrapable mais, quand le temps de privation s'ajoute à d'autres difficultés, le néodéveloppement risque de prendre une direction désocialisante [40].

Il faut habituellement quelques semaines pour que l'empreinte neuronale se stabilise et donne au parent adoptant un pouvoir sécurisant [41]. Quand les parents sont eux-mêmes en difficulté, ils répondent mal à cet enfant au lien difficile. Les interactions troublées instaurent, à l'insu des partenaires, un lien mal socialisant. Ces brisures répétées d'origine sociale, comme lors des guerres, des effondrements familiaux ou des agressions administratives (changements répétés d'institution ou changement de nom), constituent des déchirures très délabrantes. L'adopté ne peut ni structurer un lien affectif, ni s'orienter vers une figure d'attachement sécurisante, ni faire un récit cohérent de ce qui lui est arrivé. Il tisse alors un attachement non discriminatif, sans préférence, et se laisse

---

39. Tizard B., Hodges J., « The effect of early institutional rearing on the development of eight years old children », *Journal of Child Psychology and Psychiatry*, 1978, 19, p 99-118.

40. Marcovitch S., Goldberg S., Gold A., Wasson C., Krekeviwich K., Handley-Derry M., « Determinants of behavioral problems in Romanian children adopted in Ontario », *International Journal of Behavioral Developmen.*, 1997, 20, p. 17-31.

41. Howes C., Segal J., « Children's relationships with alternative caregivers. The case of maltreated children removed from their forms », *Journal of Applied Developmental Psychology*, 1993, 17, p. 71-81.

prendre sans émotion, donnant à ses parents un sentiment de grande froideur affective.

Quelques liens mal recousus

La déclaration d'amour des adoptants, leur élan vers
l'enfant, leur don de soi sont acceptés froidement par un
enfant lointain[42]. Dans cette population, la reprise d'un
néodéveloppement résilient se fait lentement, sans chaleur et sans problème majeur jusqu'à l'adolescence
où l'obligation de se lancer dans la vie réveille un manque
de confiance jusqu'alors assoupi[43]. Ces enfants qui
s'attachent sans choisir et sans se passionner ont été en-
gourdis par l'isolement et angoissés par l'affection. Ils
demandent souvent à être placés en pension où ils es-
pèrent trouver la distance affective qui leur conviendra :
ni abandonnés ni trop aimés. Cette froideur apparente qui
déçoit les adoptants permet à ces enfants d'évoluer sans
brutalité vers un attachement qu'ils apprendront lentement à supporter.

L'adoption tardive donne des résultats presque aussi
bons que l'adoption précoce[44]. Mais c'est dans cette population qu'on trouve les réchauffements affectifs les plus
lents. Ces attachements indifférenciés ne sont pas des
non-attachements. Au contraire même, chez un enfant qui

42. Dunn J., *Young Children's Close Relationships : Beyond Attachment*,
Newbury Park (CA), Sage, 1993.
43. Schaffer H. R., *Making Decisions about Children : Psychological Questions
and Answers*, Oxford, Blackwell, 1990.
44. Rutter M., O'Connor T., « Implications of attachment. Theory for child care
policies », *in* J. Cassidy, P. R. Shaver (dirs.), *Handbook of Attachment*, New York,
The Guilford Press, 1999, p. 825-831.

a peur d'aimer parce qu'il a subi des traumas développementaux insidieux et répétés, une telle distance affective permet de l'apprivoiser[45].

Ce qui est donné à un enfant naturel doit être conquis par un enfant adopté qui devra prendre conscience de la manière dont s'établissent ses relations affectueuses. La représentation qu'il se fait de lui avec les autres l'invite à la rêverie, dès les premières années. Et ce qu'il met en scène dans son monde intime, c'est un prototype de roman : « J'ai été abandonné parce que je n'étais pas aimable, et puis j'ai été choisi parce que je suis aimable... Mes parents naturels sont morts parce qu'ils ont lutté contre un tyran... ma mère m'a abandonné parce qu'elle était prostituée... mes parents adoptifs m'ont élu tant ils sont généreux... ils m'ont adopté pour m'exploiter comme un couple de Thénardier. » Ce refuge dans la rêverie permet de supporter et de donner sens à un réel difficile. Mais cette double origine de soi oblige à inventer un double roman familial qui explique la fréquence des attachements ambivalents chez les enfants adoptés : « Je t'aime beaucoup, mais puisque tu as fait de moi ton enfant élu, tu dois tout faire pour moi. Quand je me sens mal, je te repousse au lieu de t'appeler au secours... Je me plais à rêver qu'avec mes autres parents, ceux qui ont disparu, j'aurais été un autre, peut-être mieux qu'avec toi. » Le simple fait d'avoir changé de bras quand on était petit constitue une énigme où l'angoisse côtoie le plaisir, comme au cinéma.

---

45. Singer L., Brodzinski D., Ramsay D., Steer M., Waters E., « Mother-infant attachment in adoptive families », *Child Development*, 1985, 56, p. 1543-1551.

L'adoption n'est pas un traumatisme, c'est même une rencontre qui permet une évolution résiliente. Mais les événements qui ont provoqué le changement de bras laissent une trace dans la mémoire, et la manière dont plus tard on y pense provoque un sentiment qui dépend de notre histoire. Il faudra donc apprendre à s'aimer, comme dans tout couple où les agacements sont fréquents lors de la période d'adaptation[46]. D'autant que les parents doivent affronter la même difficulté. Ils ne partagent pas le même alphabet génétique, ils n'ont pas échangé les interactions précoces à une période où le lien se tisse de lui-même, ils devront faire connaissance comme lors d'une rencontre amoureuse. D'abord on rêve de l'homme, de la femme ou de l'enfant auquel on aspire. Puis on découvre chaque jour des éléments du réel, souvent différents des rêves. Au moment où les adoptants et les adoptés commencent à vivre dans le même milieu, chacun a appris à organiser ses relations selon sa propre histoire. Les ajustements vont grincer et la manière dont on réagit à ces petites difficultés dépend de la signification qu'on leur attribue. L'enfant peut avoir acquis un style affectif socialisant, une avidité affective, un repli sur soi ou un comportement opposant dans un milieu où il était malheureux. Les parents blessés par une difficulté d'enfantement ou par un désir altruiste contrarié ont décidé de créer une nouvelle famille, et c'est là qu'ils devront apprendre à aimer autrement. Les contresens affectifs sont fréquents.

Marc avait douze ans quand il a été recueilli par Joséphine. La mère, dans son urgence d'aimer, avait submergé

---

46. Kaufman J.-C., « Les conflits minuscules » *in Dépasser la violence*, Paris, Maison des Métallos, 8 mars 2008.

l'enfant de mots, de cadeaux et de bisous qui crispaient le petit. Quand Fernand le mari qui travaillait à l'étranger est rentré chez lui un an plus tard, il y avait près de sa femme un grand garçon qu'il ne connaissait pas et qui soufflait d'exaspération à chaque gentillesse maternelle. Un soir, alors que Marc faisait ses devoirs sur la table de la cuisine, Fernand s'est approché en silence et a donné au garçon un baiser qui n'avait rien de paternel. Le garçon s'est débattu et l'affaire s'est arrêtée. Marc s'est assis et a repris son travail d'école. Là est le problème : pas un mot n'a été prononcé. Le père a fait comme si de rien n'était. La mère s'attristait des rebuffades du garçon. Et Marc s'étonnait d'avoir été si peu ému par ce début d'agression sexuelle. La distance affective entre Fernand et Marc suffisait-elle à expliquer l'absence de traumatisme ? Ou était-ce la force musculaire du jeune garçon qui lui donnait un tel sentiment de tranquillité ? La signification de ce geste aurait eu un tout autre effet s'il était venu d'un père d'attachement. Puisque la paternité de Fernand n'était qu'administrative, désignant un père de papier et non pas d'attachement, il n'y avait pas de trahison, il n'y avait qu'une agression physique dont l'enfant s'était bien sorti !

Un autre exemple permet de défendre l'idée que sans contexte et sans histoire les événements ne prendraient pas de sens. Robert avait cinq ans quand, dans la même nuit, une fuite de gaz a asphyxié ses deux parents. Tout se passait très bien auparavant, l'enfant était facile et les parents étaient heureux de s'en occuper. Très tôt après la tragédie, le petit a été recueilli puis adopté par un couple ami qu'il connaissait et aimait bien. Les nouveaux parents étaient gais et épanouis. Tout allait pour le mieux et tout s'est mal passé ! Il a fallu plusieurs entretiens pour découvrir que l'enfant qui aimait beaucoup ses nouveaux parents s'appliquait à être odieux avec eux afin de ne pas trahir ses parents disparus

L'attribution d'un sens à un événement dépend de l'histoire de chaque partenaire. Que ce soit le père agresseur, le garçon distant, les adoptants dévoués ou l'enfant odieux par fidélité, chacun a répondu à un scénario qui se jouait dans son monde de représentations intimes. Nous réagissons tous à un film intérieur lorsque nous sommes enfants, puis lorsque nous choisissons un(e) partenaire, et plus tard quand nous entourons nos propres enfants[47]. Chacun visionne un film différent qui participe aux contresens affectueux quand nous décidons de vivre ensemble.

Fée Carabosse et Blanche-Neige

Du côté des parents le problème est identique, tout conflit avec son enfant réveille une blessure passée : « J'ai adopté cet enfant pour lui donner tout l'amour que je n'ai pas reçu. Ma mère me détestait. À l'âge de dix-sept ans, je suis rentrée du bal à deux heures du matin. Ma mère m'a chassée de la maison, je me suis retrouvée à la rue. Depuis que mon fils me rejette, je pense sans arrêt au rejet de ma mère. » La signification de l'événement actuel déchirant réveille les déchirures passées. L'adoption aiguise la contrainte au sens : « Pourquoi a-t-il fallu qu'on vive

47. Sroufe L. A., Egeland B., Carlson E., Collin N. A., *The Development of the Person : The Minnesota Study of Risk and Adaptation from Birth to Adulthood*, New York, Guilford Publications, 2005.

ensemble? Pourquoi m'ont-ils choisi? Est-ce que j'ai une dette? »

Dans les familles d'adoption quand l'« avant » est une énigme, le brouillard des origines devient trop explicatif. La part de vérité qu'on y trouve forcément devient abusive quand elle prétend tout éclairer. Chacun y va de son roman familial où l'imagination raconte de jolies fables. La fée Carabosse qui gouvernait l'« avant » a été vaincue par la Blanche-Neige de notre nouvelle famille. Mais quand une épreuve survient, il est tentant de l'attribuer à la fée Carabosse. Les récits trop limpides empêchent d'affronter le réel qui, lui, est toujours trouble.

Les certitudes sont tellement tranquillisantes que lorsqu'un problème angoissant nous tombe dessus, nous plongeons dans l'énigme afin d'y trouver une « hypothèse irréfutable » : « Puisque mon enfant a fait une tentative de suicide qui me bouleverse, c'est qu'avant de me rencontrer il a beaucoup souffert. Il s'est peut-être passé quelque chose (hypothèse floue) qui a certainement été terrible (certitude limpide). » Un tel raisonnement fantasmatique soulage le parent, « Il est mal à cause d'avant », et éclaire l'enfant, « J'aurais été mieux avec l'autre parent. »

Cette rationalisation psychoaffective ne correspond pas du tout aux enquêtes de terrain. Une population d'adoptés précoces évaluée à l'âge de quatre ans révèle nettement plus d'attachements insécures (83 %) qu'une population d'enfants naturels du même âge (30 %). Plus tard, entre quinze et vingt ans, la proportion d'insécures tombe à 40 % chez les enfants adoptés, un chiffre à peine supérieur à la population générale des adolescents (35 %). Et pourtant, il y a plus de tentatives de suicide et plus de consultations en psychiatrie chez les adoptés [48]. On pourrait interpréter ces données populationnelles en disant que les enfants adoptés ont rattrapé leur retard affectif dès qu'ils se sont sentis sécurisés par leur nouvelle famille. Mais ils ont gardé, dans leur mémoire implicite, une trace de vulnérabilité imprégnée au cours des carences précoces. Au moment de la flambée sexuelle, cette empreinte réveille une souffrance d'abandon que le jeune croit résoudre par le suicide. Même quand ils sont bien entourés, les adoptés qui ont été carencés apprennent à aimer plus lentement que les adolescents qui ont bénéficié d'une famille dynamisante. Dans leur générosité, les éducateurs acceptent trop tôt leurs rencontres sexuelles et les lancent dans l'aventure sociale, sans tenir compte de leur vulnérabilité ni du travail de rattrapage que nécessite la résilience.

Quant à l'augmentation des consultations médicales et psychiatriques chez les adoptés, elle est explicable en partie par le réveil des déchirures difficiles à recoudre, mais surtout par la fée Carabosse à qui l'on impute tout ce qui ne plaît pas.

Les attachements désorganisés, attribuables à la désorganisation de l'environnement affectif, disparaissent rapidement quand l'adoption offre à l'enfant une stabilité affective. Le fait que ces enfants, en progrès constants, soient surreprésentés dans les consultations psychologiques prouve qu'ils gardent dans l'esprit de leurs parents une image d'enfant adopté qu'on emmène plus facilement voir un spécialiste. Le trouble de l'enfant entre en réso-

---

48. Haesevoets M., *Traumatismes de l'enfance et de l'adolescence*, Bruxelles, De Boeck, à paraître automne 2008.

nance avec la signification qu'il prend dans le monde mental des parents : « C'était une crevette quand j'ai été la chercher. Je sentais que je devais la garder tout le temps contre moi. Regardez comme elle est belle aujourd'hui », me disait cette mère fière, à juste titre, d'avoir sauvé la « crevette ».

« Je rêvais d'une maison pleine d'enfants pour y mettre de la gaieté », expliquait cette autre mère. « Quand ma sœur est morte, je me suis aussitôt occupée du petit. Il m'a déçue. Il était trop sérieux. Il était bon élève, ça me mettait mal à l'aise parce que je sais à peine lire. » La mère naturelle avait été emportée par un cancer en moins de deux ans et, dès le début de la maladie, le petit garçon avait mûri prématurément. Il faisait les courses, la cuisine, il s'occupait de la maison dès que l'école était finie et surveillait les traitements médicaux de sa mère. Cette maturation précoce, que manifestent souvent les enfants de parents vulnérables, ne s'accordait pas avec le désir de légèreté de la mère adoptante : « Je rêvais d'un enfant insouciant, j'ai eu à la maison le fils de ma sœur, un petit vieux. Je l'aimais beaucoup mais il m'intimidait. »

L'accordage des imaginaires

Un enfant naturel est pétri par le mythe du couple de ses parents. Le récit qu'ils se font des raisons de vivre ensemble organise et prescrit les rites d'interactions qui entourent l'enfant. Cette bulle sensorielle (manière de toucher, parler, sécuriser et interdire) stimule le cerveau du petit, encourage l'acquisition de certains comportements, constituant ainsi une enveloppe de signifiants biologiques qui tutorise les développements. Or un enfant adopté change d'enveloppe sensorielle. D'abord pétri par les rites ou par la souffrance de ses premiers parents, il doit déménager et s'installer dans un autre contenant. Populationnellement, les enfants adoptés bénéficient de ce changement d'enveloppe puisque leur premier monde était en difficulté. Mais il arrive que « l'accordage affectif[49] » demeure dysharmonieux, même après la période habituelle où tous les amoureux doivent apprendre à s'aimer. L'histoire de l'enfant, dans ce cas, se conjugue mal avec celle de ses parents. Les partenaires d'attachement entrent en conflit de représentations, alors que dans le réel chacun bénéficie de l'autre ! Les fantaisies des parents doivent s'harmoniser avec celles de leurs enfants de façon à partager un monde de représentations compatibles. Le récit de « Je suis fière d'avoir sauvé une crevette que j'aime » s'accorde avec « J'aime que ma mère soit fière, ça m'amuse de penser que je suis devenue belle après avoir été crevette ». Quand les récits sont mal assortis, on entend : « Je rêvais d'un petit garçon insouciant et gai et puis j'ai aimé un enfant petit vieux qui m'intimidait. » À quoi répond le monde des représentations de l'enfant : « Je n'arrivais pas à dire à mes parents ce qui m'intéressait. J'étais atterré par ce qui les amusait. » Dans les conflits adoptants-adoptés, on note souvent une dissonance cognitive : l'enfant souffre d'une incompatibilité entre le monde de ses parents et le sien. Il éprouve de la tendresse et de la reconnaissance pour des parents avec lesquels il a du mal à vivre.

---

49. Stern D., *Le Monde interpersonnel du nourrisson* Paris PUF, 1985.

Dans les fantaisies de l'enfant adopté, l'image maternelle est double. La mère d'attachement est là tous les jours, mais c'est une autre qui l'a porté. Cette représentation inévitable met une certaine distance affective avec l'image de cette double mère : « Je n'ai pas été porté par la mère que j'aime, et je n'ai pas eu d'attachement avec la mère qui m'a porté. » Une telle représentation double et distante autorise des fantaisies sexuelles qui angoisseraient terriblement tout enfant naturel. Marc, le petit garçon agressé sexuellement par son père d'accueil, avait trouvé dans un placard des photos érotiques de sa mère adoptive. Ça l'avait amusé. Sans plus. Ni révulsion ni intérêt, c'étaient leurs jeux sexuels à ces gens-là, voilà tout. L'évitement affectif dont souffrait la mère protégeait l'enfant du choc de la scène primitive qu'il aurait éprouvé s'il s'était senti proche.

Une petite fille adoptée, ayant retrouvé son père biologique déchu de ses droits parentaux, avait réagi avec un étonnant détachement. Quelques jours plus tard, elle s'était autorisé une fantaisie sexuelle où elle avait mis en scène sa mère biologique : « Elle a certainement fauté avec un homme plus présentable que celui-là. Je ne peux tout de même pas être née d'un type aussi médiocre. Ma mère était une femme légère. Je crois qu'elle a fauté avec un banquier. » La gloire de ce père imaginé permettait à l'enfant de ne pas souffrir du père biologique déchu. Mais cette fantaisie mettait à l'ombre le père d'attachement qui lui, tous les jours, s'occupait de l'enfant. Quand les parents adoptants découvrent les romans familiaux de leurs enfants, ils se sentent souvent attaqués et dévalorisés. Dans le réel ceux qui ont sauvé l'enfant et lui ont permis de rattraper un départ difficile et c'est avec eux que l'enfant a tissé un lien de bonne qualité. Le double roman familial des enfants adoptés mortifie les parents parce qu'il faudra longtemps avant que l'adopté n'ait plus besoin de ces fantaisies et reconnaisse le cadeau affectif de ceux qui l'ont élevé.

La culture est friande de ces romans d'enfants sans famille qui mettent en scène un double roman familial : « Qui serais-je devenu avec d'autres parents ? », écrivent les adoptés dans le roman vrai de leur enfance. « Qui serais-je devenu avec d'autres parents ? », pensent les lecteurs qui n'ont eu qu'un seul roman familial à rêver, mais pour qui les adoptés offrent une sorte d'expérimentation spontanée.

Lois et récits d'adoption

Les récits culturels jouent un rôle majeur dans la création du sentiment de l'enfance. Les religions ont eu tendance à combattre l'adoption parce qu'elles privilégiaient la filiation pour structurer le social et transmettre la foi et les valeurs. Certains considéraient que l'adoption plénière était un mensonge d'État puisque, depuis le 29 juillet 1939, la filiation écrite sur le livret de famille cachait la filiation biologique. On y lisait : Jean, fils de M. Dupont et de Mme Dupont, ce qui était faux biologiquement. La récente loi du 1er juillet 2006, en donnant à l'affiliation une plus grande valeur qu'à la filiation, privilégie l'attachement plutôt que l'ascendance. Dès lors, il n'y a plus grande différence entre les enfants adoptés, les demi-frères, demi-sœurs et les enfants naturels. C'est la revanche du lien sur la graine.

Les modifications actuelles de toutes les cultures sur la planète tutorisent des développements psychologiques différents. Hier, jusqu'à la fin du XIXe siècle, un enfant sur deux mourait dans la première année, et beaucoup de survivants devenus orphelins à cause de la mort précoce des femmes[50] étaient « adoptés » par leur propre famille. Après la Seconde Guerre mondiale, les orphelins, les enfants de pauvres et de tuberculeux étaient enlevés par la police et confiés au Dépôt des enfants qui les plaçait ensuite au bon air de la campagne où, privés d'affection, un grand nombre d'entre eux cessaient de se développer[51].

Aujourd'hui, il y a en France trois cent mille enfants pris en charge par l'Aide sociale à l'enfance, la plupart ne sont pas orphelins. À Panama, 95 % des enfants des orphelinats viennent de familles dissociées, de mères abandonnantes, par négligence ou par amour. Le Brésil vient d'abolir le « tourniquet », où un bébé était placé dans une sorte de porte tournante, là, d'un geste, on le faisait passer à l'intérieur de l'institution. Dans de nombreux pays d'Amérique du Sud et d'Europe de l'Est, les enfants mendient, dansent ou vendent de menus objets aux feux rouges. Certains dorment dans la rue, la plupart rentrent chez eux, où leur mère les attend avec un père chaque mois différent.

À Bucarest, certains enfants ne connaissent que la rue. Des jeunes de vingt ans rencontrent des filles qui mettent au monde des bébés qui ne connaîtront que la

---

50. Roussel L., *La Famille incertaine*, Paris, Odile Jacob, 1989, p. 212.
51. David M., *Le Placement familial. De la pratique à la théorie*, Paris, ESF, 1989.

rue. Le devenir de ces enfants diffère étonnamment selon les structures du milieu. Beaucoup meurent, la plupart se développent mal. Ils sont couverts de cicatrices mal recousues, d'abcès récidivants ou de fractures consolidées en position vicieuse. Ceux qui sont placés dans des familles maltraitantes ou rejetantes deviennent incapables d'aimer. Ils se méfient de l'affection qui risquerait de les soumettre, ils s'entraînent à devenir durs et indifférents. Les garçons, et parfois les filles, organisent une sorte de résistance à ces conditions terribles en formant des bandes d'une violence extrême. Le nombre d'enfants abandonnés n'a pas diminué ces dernières années, mais la prise en charge sanitaire et éducative s'est nettement améliorée[52].

En Colombie, grâce aux processus de socialisation archaïque où un chef de quatorze ans fait régner la terreur, on assiste parfois à des réussites paradoxales. La drogue qui les détruit permet à quelques meneurs de devenir incroyablement riches. Ils achètent des domaines luxueux, dans lesquels ils s'enferment avec une armée, quelques avocats et un médecin qu'ils embauchent. Là, ils font régner une loi de fer où aucun enfant ne touche à la drogue. Des hommes armés accompagnent les jeunes dans d'excellents collèges privés où ils font de bonnes études, avant d'entrer dans les grandes universités américaines qui leur permettront plus tard de gouverner le monde.

La règle est claire : un enfant seul, sans enveloppe affective va mourir. Le simple fait de se grouper fait émerger une structure de socialisation archaïque : la loi du plus

---

52. Très nette amélioration dans les institutions et dans la rue « Casa de Clovni », Timisoara.

fort. Mais, dès que des adultes disposent autour des petits quelques tuteurs de résilience, les enfants progressent le long de ces lignes de développement proposées par la culture. Dans la banlieue pauvre de Santiago du Chili, des hommes ont nettoyé un espace et construit une cabane en planches. Quelques femmes s'y sont installées et en on fait une sorte de crèche parentale. Elles ont décoré les murs, planté des fleurs et fait l'école aux petits, tandis que les hommes allaient chercher du travail. Les enfants de ces quartiers s'épanouissent et deviennent des adultes socialisés[53]. Ce qui rend nos enfants violents, c'est la socialisation archaïque, ce n'est pas la pauvreté. Au Brésil, les *favelas* se sont nettement améliorées depuis que des adultes ont décidé de faire des familles par entente verbale : « On va dire que tu es le père, je ferai la mère, et on s'occupera avec nos voisins d'un petit groupe d'enfants. On leur apprendra la musique d'abord pour les socialiser[54]. » En Israël, au cours des années 1950, des « mères professionnelles » s'occupaient de tous les enfants du kibboutz, afin que les parents fussent plus disponibles pour la construction du nouveau pays. Les résultats furent excellents, le lien affectif très fort et les productions intellectuelles remarquables. La surprise est venue de la mixité. Les adultes, dans leur désir d'égalité, avaient demandé que toutes les activités soient partagées, le travail aux champs, à la maison, l'armée et les soins aux enfants. Deux générations plus tard, les grands-mères

---

53. Morel M., Cyrulnik B., *Enquête Quartiers Santiago du Chili*, 2004, (LEA-NIM) Centro de Estudios y Atencion del Niño y la Mujer, directrice Maria Angelica Kotlierenco.

54. Cabral S., de l'Université de Rio de Janeiro, intervention au cours de diplôme d'université, Toulon, 2008.

expliquent à quel point elles ont souffert de la mixité et de l'absence d'intimité.

En Afrique centrale, au Rwanda, les « ménages » viennent d'inventer des structures familiales qui proposent la fratrie en guise de tuteurs de résilience après le génocide. Chez les Bétis du Sud-Cameroun, le mythe donne au village un tel pouvoir éducatif que tout adulte est responsable de chaque enfant. Une telle représentation collective relativise la notion d'orphelinage puisque, lorsqu'un père meurt, l'enfant, qui continue à appartenir au village, n'est pas tout à fait orphelin[55]. Un tuteur s'est brisé mais les autres fonctionnent encore. Au Bangladesh, au contraire, quand un père meurt, l'enfant est très orphelin puisque le mythe collectif raconte qu'une femme sans mari n'est pas capable d'élever un enfant. En Europe, où l'enfant appartient essentiellement à la mère, le petit devient orphelin quand elle meurt. Et quand c'est le père qui disparaît, l'enfant poursuit difficilement son développement le long d'un tuteur maternel endeuillé. Dans les sociétés matrilinéaires, c'est le frère de la mère qui est appelé « Père ». Les mythes qui donnent beaucoup de pouvoir aux mères déclarent que, lorsqu'elles disparaissent, le père biologique n'a pas le droit de réclamer son enfant, ce qu'un Occidental a du mal à admettre.

Certaines cultures valorisent le don d'enfants. Chez les Agnis en Côte d'Ivoire, 25 % des enfants sont donnés afin de rendre heureux les grands-parents. Cette mission de bonheur prescrite par le mythe rend heureux les enfants pourtant séparés de leurs parents. Au Liberia,

---

55. Azembé F., « Circulation des enfants en Afrique d'hier à aujourd'hui », *Le Journal des psychologues*, décembre 1997-janvier 1998, n° 153.

40 % des enfants sont donnés. Ils considèrent comme un honneur d'avoir été offerts, adoptés en quelque sorte par un autre foyer. Ces enfants non seulement se développent bien, mais en plus ils sont fiers que la culture leur ait attribué le rôle de porte-bonheur.

Au Japon, les orphelins sont rarement recueillis[56]. Puisqu'ils n'ont pas de parents, ils ont peu de valeur dans une culture où le culte des ancêtres organise les rites quotidiens. Quelques milliers d'entre eux vivent pourtant dans des familles généreuses, jusqu'au jour de la mort du père où ils découvrent qu'ils ne sont pas les vrais enfants et n'auront pas d'héritage.

Des sentiments contradictoires remplissent le monde intime de ceux qui n'ont plus de parents. L'orphelinage est vécu de façon totalement différente selon la manière dont les récits du contexte se conjuguent avec les récits de soi. Les circonstances de la perte ou de la séparation gravent dans la mémoire une représentation de la condition d'orphelin : « J'ai rendu mes parents heureux », pense le petit Soninké... « Mes parents avaient honte de moi », suppose le Japonais... « Ils m'ont adopté pour se soigner », affirme le petit Européen.

Technologie et romans populaires

Le contexte technologique participe lui aussi à cette construction du sens. Les couples seront de plus en plus stériles, puisque les femmes occidentales mettent au

---

56. Yu Lavi-Hamada, « Japon : cacher l'identité d'origine *Le Journal des psychologues*, décembre 1997-janvier 1998, n° 153.

monde leur premier enfant à plus de trente ans, puisque
leurs déplacements fréquents et leur stress augmentent la
prématurité, puisque ce modèle d'épanouissement féminin se répand sur la planète, puisque la sédentarité rend
les hommes obèses, puisque le tabac, l'alcool et l'inges-
tion de pesticides diminuent la spermatogenèse, puisque
le port du slip et l'ordinateur posé sur les genoux
construisent un cocon chaud qui pousse les spermato-
zoïdes à faire la sieste alors que le froid stimule leur fer-
tilité, pour toutes ces raisons différentes et convergentes
la fécondité occidentale va continuer à décroître. En
même temps, les catastrophes humanitaires, les guerres,
les misères vont désespérer un grand nombre de populations qui donneront leurs enfants par amour, et parfois les
vendront par intérêt. L'amélioration des transports,
l'urbanisation déculturante des faubourgs des mégapoles
vont accueillir des centaines de millions de réfugiés clima-
tiques [57]. Les mythes et les préjugés qui entourent l'adoption vont bouillonner dans tous les sens, attribuant aux
orphelins un destin de prophètes, de héros, de créateurs
ou d'enfants maléfiques.

Aux États-Unis et en France, on adopte comme on
respire des enfants aux couleurs de plus en plus asiatiques [58]. Ils se développeront bien dans les bras des adoptants et dans leur culture d'accueil, jusqu'au jour où ils
seront taraudés par l'énigme de leurs origines : « Mes
parents étaient des héros... des clochards... des traîtres...
des princes... dans une culture merveilleuse ou horrible
que je ne peux qu'imaginer puisque je ne la connais pas.

---

57. Dobriansky J., Weber L. N., « Brésil : un drame à grande échelle », *Le Journal des psychologues*, décembre 1997-janvier 1998, n° 153.
58. Varenka Marc, communication personnelle, 2007.

Mes parents me la font découvrir par des livres, des photos et des voyages qu'ils m'ont promis.» Au double roman familial des enfants adoptés s'ajoutera le double mythe des origines, ce qui va les doter d'une grande créativité, comme on commence à le voir aux États-Unis et en Europe où ces enfants fournissent un bataillon de créateurs littéraires, artistiques ou scientifiques.

Le simple fait de savoir qu'on a été un enfant adopté devient un nouvel organisateur du Moi. Cette représentation de soi peut devenir un événement-écran qui limite la compréhension de ce qui vous arrive en expliquant tout par l'adoption. D'après les critères de développement biologiques, psychologiques et sociaux, on peut affirmer qu'une population d'enfants adoptés donne des résultats comparables à ceux d'une population d'enfants naturels [59]. Les évaluations scientifiques le confirment et, pourtant, ce n'est pas ce que racontent les récits mythiques de l'adoption.

Les adoptés eux-mêmes se donnent dans leur cinéma intime un rôle d'exception : « Au départ de mon histoire, il m'est arrivé un événement rare qui a fait de moi un être humain à part. Je m'en suis sorti grâce à mes parents adoptifs... Je m'en suis sorti tout seul... Je m'en suis sorti malgré mes parents adoptifs... Je ne m'en suis pas sorti parce que je suis un enfant adopté... » Tous les scénarios sont possibles avec de telles prémices. Dans le réel, les enfants et leur famille font un boulot efficace, mais dans le for intérieur de leurs représentations, chacun y va de son roman. La plupart du temps, le brouillard des origines

---

59. Aussilloux Ch., Fraisse P., Baghdali A., « Le devenir des enfants adoptés », *Neuropsychiatrie de l'enfance*, 1995, 43 (10-11), p. 459-464.

n'est pas un problème majeur et les enfants s'en amusent dans leur cinéma interne. La difficulté vient des récits extérieurs : « Tu viens d'où avec tes yeux bridés ? » L'adolescent choisit alors quelques stéréotypes sur l'empire du Soleil-Levant, l'intelligence des Asiatiques, leur fourberie commerciale, les mangeurs de n'importe quoi, leur cruauté légendaire, et répond quelques banalités.

Les récits d'autrui sur l'adoption fourmillent de fantasmes universels : « On ne sait pas d'où il vient... d'après ses parents, on peut prédire ce qu'il va devenir... connaissant sa culture d'origine on sait quelles seront ses valeurs. » Nous aimons ces stéréotypes qui nous permettent de ne pas penser, tout en faisant des récits qui font croire que nous pensons. En fait, ces enfants à part, nés d'une femme et élevés par une autre, issus d'une culture et participant à une autre, incarnent parfaitement les mythes fondateurs : « Puisqu'il ne connaît pas ses origines, il a peut-être eu des relations sexuelles avec sa mère, sans le savoir, comme Œdipe ? C'est peut-être un enfant de roi, un enfant de dieu, un enfant d'assassin, un enfant de putain qu'on est en train de vénérer ? » Le brouillard des origines laisse émerger les fantasmes de ceux qui parlent de ces enfants. Toutes les cultures, laïques et religieuses, écrivent des récits édifiants qui racontent l'histoire de ceux qui savent sublimer, maîtriser leurs pulsions afin de fabriquer du social. Mais eux, les enfants adoptés, avant de venir chez nous, ils ont peut-être vécu dans un pays sans lois, on ne leur a pas appris que l'on ne peut pas tout se permettre, ils vont transgresser et nous allons les admirer de créer des œuvres d'art ou de découvrir des nouvelles lois scientifiques. Puis nous allons les détester pour ce privilège de transgression que leur donne leur situation d'adoptés. Au même titre que les survivants, initiés par le côtoiement de la mort, ils aiguillonnent l'imaginaire mythologique. C'est pourquoi on en trouve un si grand nombre dans les romans populaires.

Après le brouillard des origines, le soleil

Le brouillard des origines n'est ni un vrai plaisir ni une grande angoisse, c'est une incertitude plutôt et l'étonnement de découvrir parfois un indice éclairant. Le mystère des origines donne à certains d'entre eux un plaisir d'archéologue : « Chaque fois que je découvre une archive, la piste d'un cousin possible, je me réjouis de cet événement qui va prolonger mon histoire et renforcer mon identité. » Le démon des origines[60] s'empare de l'âme d'un très petit nombre d'adoptés, 2 à 4 % tout au plus, mais il passionne les récits culturels en éveillant les fantasmes universels qui traitent de filiation et de projets d'existence. Certains éprouvent une sorte de rage et revendiquent leur droit à leurs origines : « Découvrir d'où je viens, c'est dire qui j'étais avant de naître... Savoir de qui je viens, c'est reconstituer mon identité antérieure à ma naissance. » Il y a en effet un curieux plaisir à la représentation de soi dilatée par l'histoire : « Je remonte à Saint Louis... Nous habitons ici depuis le xvᵉ siècle. » Une telle représentation

---

60. Le Bras H., *Le Démon des origines*, La Tour d'Aigues, Éditions de l'Aube, 1998.

historique de soi constituerait-elle une hypertrophie identitaire?

Toutes les nuances existent, du rejet des origines au regret des origines. Les enfants d'immigrés qui ne parlent que la langue du pays d'accueil révèlent ainsi la difficulté à accepter leurs origines et même à s'identifier à leurs parents. Alors que ceux qui n'arrivent pas à apprendre la langue et les rituels du pays d'accueil indiquent par cette défaillance la nostalgie de leurs origines[61].

Il arrive qu'un enfant désireux de ne pas blesser ses parents hausse les épaules et affirme qu'il n'a pas besoin de découvrir d'où il vient pour savoir qui il est. Les parents aussi peuvent se mentir afin de donner une illusion de cohérence à une décision qui prend ses racines dans leur inconscient. Certaines femmes, sachant qu'elles ne peuvent pas porter d'enfants, décident d'en adopter un. Cette « hypothèse complaisante [62] » leur évite d'avoir à découvrir que, dès l'âge de huit ans, elles avaient déjà envie d'adopter un enfant! Leur corps n'était pas infertile, mais leur âme voulait aimer un enfant qu'elles n'auraient pas porté.

Dans l'ensemble, l'adoption est un bienfait considérable. Pour l'enfant qui trouve un nouveau milieu rempli de tuteurs de résilience, autant que pour les parents qui parviennent à s'accomplir en réalisant un désir à peine conscient. La société aussi trouve une occasion de faire une bonne affaire en permettant à quelques familles d'améliorer l'existence d'enfants qui, sans elles, auraient été en difficulté.

61. Tousignant M., *Les Origines sociales et culturelles des troubles psychologiques*, Paris, PUF, 1992, p. 227-233.
62. Lani-Bayle M., « Demande d'adoption : non-dit, non écrit », *Le Journal des psychologues*, décembre 1997-janvier 1998, n° 153.

Les problèmes existent bien sûr, un peu supérieurs à ceux de la population générale[63]. Même quand tout va pour le mieux, le simple fait d'avoir été adopté devient un nouvel organisateur de la personnalité qui doit s'accorder avec la question universelle : de qui est-on l'enfant ?

---

63. Warren S. B., « Lower threshold for referral for psychiatric treatment for adopted adolescents », *Journal of American Academy Child-Adolescent Psychiatry*, 1992, 31, p. 512-517.

ÉPILOGUE

PAROLES D'ÉPOUVANTAILS

« Un jour, je suis devenu épouvantail. » Avant, j'étais enfant, ado ou femme, une personne, quoi. Je cheminais tant bien que mal quand je suis mort, pas tout à fait. Je me suis mis à vivre comme vivent les épouvantails, du bois dans l'âme et de la paille aux mains. Ce n'est pas grave, vous savez, un épouvantail souffre moins qu'un humain dont il est la caricature.

Une nuit, la vie est revenue en moi sous forme de rêves d'abord, d'images et de mots inachevés comme une fontaine d'émotions folles et pourtant plus paisibles que le réel absurde qui m'avait fracassé. La douleur de vivre m'a de nouveau tenté. C'est alors que vous m'avez offert « l'horrible outil du verbe[1] ».

Avec une seule existence, on peut écrire mille autobiographies. Il n'est pas nécessaire de mentir, il suffit de déplacer un mot, de changer un regard, d'éclairer un autre aspect du réel enfoui.

---

1. Sartre J.-P., *Saint Genet, comédien et martyr*, Paris, Gallimard, 1952, p. 603-605.

Variations autour d'un thème, la trame du récit se renouvelle comme une rengaine. Le premier couplet s'écrit dans l'enfance qui thématise notre existence. Les circonstances passées construisent dans notre mémoire le sens qu'on attribue aux événements présents. Grâce à l'outil verbal, on fait revivre le passé, comme au théâtre, sous forme de représentations. Il ne s'agit pas de faire revenir le temps, il suffit d'utiliser quelques lambeaux de mémoire pour composer une représentation de soi, puis de se mettre en scène pour rejouer le même récit.

L'évolution est vagabonde[2], elle n'est pas linéaire, elle bouillonne comme la vie et repart en tous sens. Elle prend des formes différentes, erratiques, imprévisibles et pourtant déterminées par mille pressions du contexte. Tout développement est une aventure, je ne vois pas pourquoi un néodéveloppement résilient ne serait pas une épopée. Il est comme la masse bouillonnante d'une tempête où chaque goutte d'eau ne peut pas être ailleurs qu'à la place qui lui a été assignée par la force des vagues qui, l'ayant prise à un endroit, l'entraîne irrésistiblement dans une direction. Ce bouillonnement de déterminismes explique pourquoi nous sommes capables de donner sens à un tout petit moment de la condition humaine et incapables de donner sens à la condition humaine.

Nous sommes tellement contraints à nous fabriquer une vision cohérente du monde que nous n'hésitons pas à généraliser nos misérables vérités jusqu'à ce qu'absurdité s'ensuive. C'est ainsi que nous raisonnons quand nous

---

2. Selosse M.-A., Godelle B., « L'évolution mène toujours au progrès », in « Le dictionnaire des idées reçues en science », *La Recherche*, octobre 2007, n° 412.

voulons tout expliquer par une seule théorie qui contiendrait la vérité entière.

Tous les dictateurs ont pris le pouvoir grâce à une Novlangue[3] où il n'est pas permis de penser ce qui n'a pas été préfabriqué par la machine à penser. Selon le maître absolu, vous ne pouvez juger qu'avec les termes cohérents de « l'économie de marché »... ou de « l'exploitation de l'homme par l'homme »... ou de « l'inconscient structuré comme un langage ». En dehors de ces chemins de fer de la pensée, vous ne serez pas compris, vous resterez isolé, marginalisé, méprisé, jugé et emprisonné. En dehors de ces mots convenus, point de salut.

La pensée paresseuse est avantageuse parce qu'elle donne une vision claire du monde, une certitude qui mène au pouvoir. Le verbe est l'outil préféré de cette pensée nonchalante qui donne le plaisir de la récitation. Mais ce n'est pas un travail de la pensée qui cafouille et balbutie dans une recherche incertaine. L'orthodoxie facilite le laisser-aller qui évite le souci de la réflexion puisqu'un Autre vénéré a déjà pensé pour nous. La conviction de dire le vrai en récitant les mots du Maître procure une force d'affirmation, une tranquille certitude.

Un épouvantail, lui, s'applique à ne pas penser, c'est trop douloureux de bâtir un monde intime rempli de représentations atroces. On souffre moins quand on a du bois à la place du cœur et de la paille sous le chapeau. Mais il suffit qu'un épouvantail rencontre un homme vivant qui lui insuffle une âme, pour qu'il soit à nouveau tenté par la douleur de vivre.

---

3. Exemple de George Orwell, *1984*, cité *in* Fossion P., Rejas M.-C., Hirsch S., *La Trans-Parentalité. À propos des nouvelles structures parentales et de ceux qui les maltraitent* (à paraître en 2009).

Mais tout est à repenser. Quand le réel est fou, la parole est incertaine. Le monde qui revient en lui ne sera supportable qu'à condition d'être métamorphosé. La poésie, le théâtre ou la philosophie en feront une représentation tolérable. La rage de comprendre se transforme en plaisir d'explorer, la nécessité de fouiller l'enfer pour y trouver un coin de paradis se mue en aptitude à rencontrer des insuffleurs d'âmes.

Alors, l'épouvantail se remet à parler et parfois même à écrire sa chimère autobiographique.

TABLE

INTRODUCTION

LES CHASSEURS D'OMBRES

Le regard de la photo : *un simple énoncé peut changer la manière dont on se sent observé* 9

La phrase qui tue. L'archive qui guérit : *à la fin de la phrase, on n'est plus comme avant* 12

La pudeur et la souffrance : *souffrir en cachette, parler en public* 15

C'est l'histoire qui ouvre les yeux : *des récits pour voir*   19

Une chimère authentique : *tout est vrai dans un animal qui n'existe pas* 23

Ce que vous allez lire, peut-être : *plan* 26

CHAPITRE I

Catastrophes naturelles
et changements culturels

Adaptation et évolution au bonheur des cafards : *chaos, désastre ou catastrophe* 31

Malheur au vainqueur : *l'hyperadaptation mène à la catastrophe* 34

Le trauma, un attracteur étrange : *l'étoile du Berger est devenue noire* 37

Histoire et catastrophe naturelle : *même un tremblement de terre sera historisé* 42

Quand la vie revient : *elle associe ce qui fonctionnait avant le fracas avec ce qui fonctionne après le fracas* .. 45

Autobiographie et cinéma de soi : *on n'extrait du monde que ce qui nous touche* 48

La maturation posttraumatique change le goût du monde : *dépression insidieuse ou facteur de résilience.* 51

Tout trauma est une relation perverse : *le fracas nie l'existence de l'autre* 56

L'épouvantail mélancolique : *le retour de la vie après une agonie psychique* 59

L'entourage peut empêcher de se sentir épouvantail : *l'estime qu'on attribue au traumatisé constitue le premier nœud de la résilience* 62

Il n'est pas nécessaire d'être gai pour avoir de l'humour : *un décalage surprenant crée la distance qui protège* 65

Le bouc émissaire, thérapeute toxique : *le soulagement qu'il apporte est une bombe à retardement* 69

Fonction culturelle du délire logique : *un récit cohérent qui accable les autres dirige vers le sacrifice émissaire* . 72

Action, solidarité et rhétorique : *la manière d'organiser les lieux de parole est une action apaisante* 77

CHAPITRE II

Au bonheur des pervertis

Trois bonnes raisons pour tuer : *légitime défense, imposer sa loi, aimer à mort* 85

Se soumettre pour triompher : *tous ensemble nous donnons la victoire à celui qui nous représente* 89

TABLE 277

Un terroriste bien tranquille : *il a commis un acte monstrueux sans être un monstre* 92

Un désir de catastrophe : *pour savoir qui l'on est* 95

Quand tout fait signe : *un enfant maltraité a besoin d'être hyperattentif à l'autre* 99

Le sacrifice qui soigne : *quand le bouc n'est pas désigné, le groupe explose* 100

La passion qui nous emporte : *au bonheur de Narcisse* 103

La fabrique des héros : *passion désespérée* 106

Héroïsme ou dépression : *l'héroïsme, mécanisme de défense* 109

L'appauvrissement affectif : *une personne, une famille, une culture peuvent l'organiser* 112

Pas de trace de l'autre : *le nourrisson, le nazi, le fonctionnaire zélé, le pédiatre islamiste et le criminel sexuel sont sans trace de l'Autre* 114

Technologie et monde sans autre : *une société technologique favorise la perversion narcissique* 119

Le goût étrange de revivre : *payer pour avoir le droit de vivre* 123

La force et le sacrifice : *merci de m'avoir épousé. Comment se faire aimer quand on est un épouvantail ?* 127

Western ou success story ? : *la résilience n'est pas un récit de réussite, c'est plutôt l'histoire d'une bagarre ...* 133

La souffrance est là, faut-il l'aimer ? : *Doit-on l'accepter, l'érotiser ou la combattre ?* 137

Combattre la désolation : *l'isolement sensoriel familial ou social provoque un anéantissement* 141

Une gentillesse morbide : *le père Goriot, emblème du masochisme moral* 146

Les pervers moralisateurs : *le pervers parangon de vertu* 151

La signification du mot « pervers » dépend de son contexte : *un pervers peut respecter les préceptes de l'Église et de la médecine*........................... 153

La perversion, force sociale : *les communautés se constituent par le meurtre*........................... 158

CHAPITRE III

Les perroquets de Panurge

Obéissance ou soumission ? *la dépendance affective des nourrissons les mène à l'autonomie* 163

L'obéissance tranquillisante : *désobéir provoque un stress* 166

L'obéissance socialisante : *obéir pour côtoyer ceux qu'on aime explique le grégarisme intellectuel* 169

L'obéissance perverse : *celle qui arrête l'empathie* 175

La servitude volontaire : *quel bonheur de se soumettre aux délires que nous inventons !* 178

Effet tranquillisant du panurgisme verbal : *répéter un slogan dont on ne comprend pas le sens est une forme de communion* 182

On ne devient pas normal impunément : *rétrécir sa mémoire pour constituer son identité* 186

Détruire le langage : *empêche de tenir à distance le réel qui nous cogne* 189

Mémoire traumatique et contresens affectueux : *le trauma qui gouverne l'histoire de l'un n'est pas inscrit dans l'histoire de l'autre* 194

Abandonné tous les dimanches : *on alignait les enfants et on se servait* 197

L'histoire est un produit dangereux : *le récit d'une tragédie solidarise le groupe* 200

La non-histoire est encore plus dangereuse : *ne rien transmettre, c'est transmettre une inquiétante étrangeté* 203

La rhétorique est une structure affective : *la manière de dire ou de se taire organise la transmission de l'affectivité* 205

Aucune histoire n'est innocente : *elle induit un sentiment de honte ou de fierté, pour un même fait* 209

Familles sans parents : *on a sous-estimé le pouvoir de résilience de la fratrie et des compagnons* 212

TABLE 279

CHAPITRE IV

Les enfants cachés

Le secret devient un nouvel organisateur du Moi : *se taire pour survivre, parler est dangereux*.................. 219

Les récits intimes dépendent des récits d'alentour : *une narration paisible et cohérente n'est pas toujours possible* 222

Les compagnons, tuteurs de résilience : *leur distance affective protège du traumatisme*..................... 224

Les récits non verbaux des enfants cachés : *un silence, une mimique ou un regard désignent mieux qu'un mot* 228

Les enfants de boches : *on leur a caché leurs origines*.. 230

De la honte à la fierté : *un changement de récit culturel métamorphose le sentiment* 235

Adoption et cultures : *le mot désigne et crée des affiliations différentes* 237

L'adoption n'est plus ce qu'on croyait : *ce n'est plus une résignation, c'est une déclaration d'amour* 240

L'imaginaire pour recoudre le lien : *surinvestir l'école pour lutter contre l'humiliation*..................... 243

Quelques liens mal recousus : *enfants froids et parents chauds, rencontre difficile*.......................... 247

Fée Carabosse et Blanche-Neige : *des fables trop explicatives* 251

L'accordage des imaginaires : *quelques fausses notes dans le double roman familial*.......................... 254

Lois et récits d'adoption : *enfant de la honte ou du bonheur, selon les mythes*.......................... 257

Technologie et romans populaires : *l'évolution de l'adoption modifie les récits* 262

Après le brouillard des origines, le soleil : *mise en lumière par la convergence des récits* 266

ÉPILOGUE. Paroles d'épouvantails.................. 269

Ouvrage proposé par Gérard Jorland
et publié sous sa responsabilité éditoriale.

Cet ouvrage a été composé etimprimé par

C P I
Firmin Didot

Mesnil-sur-l'Estrée

pour le compte des Éditions Odile Jacob
en octobre 2008

Imprimé en France
Dépôt légal : septembre 2008
N° d'édition : 7381-2165-2 - N° d'impression : 92429